Poesía española reciente
(1980-2000)

Letras Hispánicas

Poesía española reciente
(1980-2000)

Edición de Juan Cano Ballesta

CÁTEDRA

LETRAS HISPÁNICAS

© De los autores
© Ediciones Cátedra (Grupo Anaya, S. A.), 2001
Juan Ignacio Luca de Tena, 15. 28027 Madrid
Depósito legal: M. 10.864-2001
I.S.B.N.: 84-376-1890-8
Printed in Spain
Impreso en Anzos, S. L.
Fuenlabrada (Madrid)

Índice

Introducción

Orientaciones recientes
de la poesía española

La poesía viene necesariamente marcada, como fenómeno cultural que es, por su contorno social e histórico. La autodisolución del último parlamento franquista, la legalización del partido comunista en la primavera de 1977, las primeras elecciones generales, la relajación y desaparición de la censura, y, por fin, la redacción y aprobación de la nueva constitución de 1978, que garantiza las libertades democráticas, son hechos trascendentales que cambiaron profundamente los modos de vida de los españoles y toda la actividad cultural y artística. El creciente bienestar económico y las amplias posibilidades de viajar, antes muy limitadas, facilitaron experiencias inéditas que, ya con los *novísimos*, habían empezado a cristalizar en una nueva etapa poética que cultivaba gustos cosmopolitas y una apertura general de los ambientes culturales.

LOS NOVÍSIMOS

Desde los primeros años sesenta destacados poetas como J. A. Valente, C. Barral, J. Gil de Biedma, Claudio Rodríguez y Francisco Brines, entre otros, venían cultivando un tipo de lírica que se distanciaba de la llamada poesía social —en pleno auge durante los cincuenta y sesenta— y experimentaba en diversas direcciones tratando de superar el empobrecimiento del discurso poético. Pedro Gimferrer y Guillermo Carnero publicaron obras decisivas en un estilo que sorprendía por su

21

novedad ofreciendo ejemplos vigorosos y fecundos de una nueva estética en sus libros *Arde el mar* (1966) y *Dibujo de la muerte* (1967).

En 1970 publica José María Castellet su celebrada antología *Nueve novísimos poetas españoles*. El nombre de *novísimos*, con el que se conoce la nueva escuela, pudo tener su origen en una antología italiana, *I novissimi*, publicada por Einaudi. Castellet adopta el término como toque de atención para «mostrar la aparición de un nuevo tipo de poesía» y para abrir el desfile de los poetas «más representativos de *la ruptura*» y de la superación del realismo social[1]. El antologista selecciona nueve poetas: Manuel Vázquez Montalbán, Antonio Martínez Sarrión, José María Álvarez, Félix de Azúa, Pedro Gimferrer, Vicente Molina Foix, Guillermo Carnero, Ana María Moix y Leopoldo María Panero. La más vigorosa creación poética del momento comprendería a otros muchos poetas no incluidos, que en grados diversos compartieron aspectos de su estética (a veces de modo pasajero), como nota Miguel d'Ors, y con su obra lírica contribuyeron a su enriquecimiento: Antonio Carvajal, Aníbal Núñez, Antonio Colinas, Jenaro Talens, José Luis Jover, Jaime Siles, Luis Alberto de Cuenca, Luis Antonio de Villena[2].

Pero el panorama poético de los últimos sesenta y los setenta está incompleto si pasamos por alto a otros muchos poetas que no perteneciendo al club novísimo ni siendo afines a su estética, a pesar de tener su misma edad, crean una obra importante, pero quedan postergados ante el brillo y protagonismo de *los venecianos*. Sánchez Zamarreño los llama *los disidentes*[3], y entre ellos habría que nombrar a Juan Luis Panero, Lázaro Santana, Clara Janés, Justo Jorge Padrón, Miguel d'Ors, Carlos Clementson, César Antonio Molina, Amparo Amorós, Ramón Irigoyen, J. L. García Martín, Álvaro Salvador, Alejandro Duque Amusco, Fernando Ortiz, entre otros. To-

---

[1] J. M. Castellet, *Nueve novísimos poetas españoles*, Barcelona, Barral, 1970, pág. 13.

[2] Miguel d'Ors, *En busca del público perdido*, Granada, Impredisur, 1994, pág. 11.

[3] «Claves de la actual rehumanización poética», *Ínsula*, Madrid, 512-513, agosto-septiembre de 1989, pág. 59.

dos tienden a una lírica más intimista y humanizada, a la poesía de la experiencia y la narratividad[4]. Por varias avenidas se viene a desembocar en un clima poético en que la intimidad, la experiencia vital, la emoción, se van convirtiendo en la tónica de varias corrientes del quehacer lírico.

El impacto de la antología de Castellet fue decisivo, a pesar de sus limitaciones, dado el prestigio del crítico y la importancia de la casa editorial que la lanzaba:

> aunque en efecto contenía graves omisiones y sin duda no era debidamente representativa de las múltiples corrientes de la poesía joven, cumplió sin embargo la función esencial de llamar la atención del lector sobre la existencia de una nueva generación de poetas y advirtió a dicho lector de la modificación que esta generación estaba operando en el panorama literario español de postguerra[5].

Los *novísimos* enriquecen la poesía de los últimos años del franquismo con una revolución formal y estética, y logran una renovación profunda del quehacer poético. La «Oda a Venecia ante el mar de los teatros» de Gimferrer despertó toda una moda literaria seguida por varios poetas (entre ellos, G. Carnero, A. Colinas, P. García Baena, Juan Luis Panero), hasta el punto de que se les aplicó también el nombre de *los venecianos*.

El primer objetivo de la nueva generación fue la superación de la llamada poesía social. El sentido del compromiso y la hegemonía del realismo habían llevado la poesía a tal saturación y reiteración mecánica de recursos y, a veces, a tal grado de trivialidad, que se hacía urgente una vigorosa renovación. Esto facilitó el triunfo de los *novísimos* con su ímpetu renovador e iconoclasta. La poesía deja de ser testimonio y denuncia de una situación histórica y abandona el lenguaje coloquial y cotidiano con que se hablaba de las miserias, la opresión y la falta de libertad. La palabra poética logra una cierta autono-

---

[4] Miguel d'Ors, *En busca del público...*, págs. 17-22.
[5] Ignacio J. López, «Introducción» a Guillermo Carnero, *Dibujo de la muerte. Obra poética*, Madrid, Cátedra, 1998, pág. 18.

mía estética y se trueca en protagonista del poema cultivando un lenguaje selecto, sensorial e intenso. Como dice el propio Castellet: «la forma del mensaje es su verdadero contenido»[6].

Por otra parte, la vieja tradición humanística y literaria mantiene su vigencia, el poema se vuelve un hecho cultural donde resuenan ecos de todas las vanguardias y de épocas cimeras del arte. Pero el poema se va enriqueciendo con la potente cultura de masas y la «sensibilidad *camp*» definida por Susan Sontag. La censura oficial se iba relajando y permitiendo el acceso a libros extranjeros y a corrientes cosmopolitas. Radio, cine, televisión, canción popular, propaganda comercial, subliteraturas, arte *pop,* pintura, etc., se filtran en el poema en forma de *collage* como «producto de una formación adolescente dominada por los *media*»[7].

La crítica suele considerar rasgo común entre los *novísimos* el reciclaje y renovación de conocidas técnicas usadas por viejas escuelas surgidas desde el parnasianismo y el simbolismo. Se hace una relectura de recursos modernistas: búsqueda de mundos exóticos asociados con el arte o la cultura (fascinantes ciudades, lujosas fiestas y disfraces), como correlato objetivo, expresión de las emociones del yo o de los más diversos mensajes estéticos. Como dice el propio Gimferrer: «el modernismo es, básicamente, *una experiencia del lenguaje:* en esta experiencia debemos buscar su unidad»[8]. Engastando bellos vocablos y deliciosos *clichés,* los *novísimos* crean a veces un ambiente artístico refinado y sutil en disonancia con la trivialidad de la poesía social al uso.

Un fenómeno de gran relieve en la poesía de los últimos años del franquismo, lanzado y prestigiado por los *novísimos,* fue el auge de culturalismos de todo signo, que podría explicarse como muestra de un mayor bienestar económico y nivel cultural. El culturalismo, rico en referencias artísticas, literarias e históricas, a veces con aire discreto y otras ostentoso, se convierte así en exhibición de refinada sensibilidad y en santo y

---

[6] J. M. Castellet, *Nueve novísimos...*, pág. 34.
[7] J. M. Castellet, *Nueve novísimos...*, pág. 33.
[8] P. Gimferrer, *Antología de la poesía modernista*, Barcelona, Barral, 1969, pág. 10.

seña de la nueva poética, hasta el punto de que Guillermo Carnero destaque «la atención a un lenguaje lo más rico posible, heredero de todos los llamados esteticismos de la Historia»[9].

Abundantes críticos consideran el poema *metapoético* como otro de los distintivos de los *novísimos*. G. Carnero define así el concepto:

> Metapoesía es el discurso poético cuyo asunto, o uno de cuyos asuntos, es el hecho mismo de escribir poesía y la relación entre autor, texto y público[10].

Tal procedimiento no es ciertamente invención de los *novísimos*. La práctica metapoética era ya vieja en la historia literaria. «Un soneto me manda hacer Violante» de Lope, abundantes poesías de Bécquer, «Vino primero pura» de Juan Ramon Jiménez, y otros muchos poemas se podrían citar como válidos precedentes. Más que inventar la lírica como universo referencial, lo que han hecho los *novísimos* es convertir este concepto en elemento esencial de su teoría y práctica poética[11]. Ello refleja una honda preocupación por el proceso creativo y es índice de cierto intelectualismo y entrega consciente a la labor artística.

Por fin, no faltan críticos que dudan de la misma existencia de los *novísimos* o atribuyen su éxito a un fuerte apoyo publicitario[12]. Sin embargo, es conveniente observar que este grupo

---

[9] «La corte de los poetas», *Revista de Occidente,* Madrid, 23, 1983, pág. 56.

[10] «La corte de los poetas», pág. 57.

[11] A Jenaro Talens le merece un juicio muy severo el cultivo de la «metapoesía» por los *novísimos,* hasta considerarlo una coartada: «Si la poesía ya no puede hablar del mundo, hablará, al menos, de cómo otros poemas han hablado del mundo. El discurso del método suplanta así al método del discurso» («La coartada metapoética», *Ínsula,* Madrid, 512-513, agosto-septiembre de 1989, pág. 56).

[12] Jenaro Talens escribe: «no hay crítica sobre los *novísimos* porque existan previamente los *novísimos,* sino que hay *novísimos* como objeto de estudio porque existe una crítica que habla de ellos [...] el valor *canonizador* proviene del frotamiento y la repetición de nombres y esquemas en simposia, reuniones públicas, universidades de verano...» (Jenaro Talens, «La coartada metapoética», pág. 55). Amparo Amorós no discute el hecho de que «los Novísimos establecieron una ruptura predominantemente estética y ostensiblemente formal», si bien nota que lo hicieron «con fuertes apoyos críticos y editoriales» «desde el ensanche Barcelonés» («¡Los novísimos y cierra España!», *Ínsula,* Madrid, 512-513, agosto-septiembre de 1989).

constituye la corriente poética más iconoclasta del momento, que marca nuevos objetivos y abre horizontes a la poesía logrando superar definitivamente el tono banal y prosaico a que habían llevado varias décadas de poesía política y de realismo social. El movimiento tiene un profundo impacto y se convierte en punto de referencia inevitable para toda la poesía posterior.

Conviene observar que muchos de los poetas novísimos y sus afines con el correr de los años:

> evolucionan moderando el esteticismo, el formalismo, el hermetismo, el culturalismo, el irracionalismo y el experimentalismo de sus comienzos y tendiendo a una recuperación del *yo*, los materiales autobiográficos, los sentimientos y los «temas eternos» y también a una cierta simplificación estilística[13].

Como muestras de esta evolución señala Miguel d'Ors *Sepulcro en Tarquinia* (1975) de Antonio Colinas y *Hymnica* (1979) de Luis Antonio de Villena, en que «los elementos suntuarios y culturalistas» moderan su brillo para acentuar la emoción, con lo que abren nuevas vías a una poesía más vinculada al sentimiento[14]. Los mejores poetas contribuyen a crear el ambiente rico y múltiple del que se va a alimentar la poesía más reciente.

Por más que algunos críticos hayan querido presentar a los *novísimos* como el primer gran movimiento poético que anuncia y prepara la democracia[15], más bien parecen constituir la última generación poética de la dictadura o «la última manifestación de la cultura del franquismo», ya que, cronoló-

---

[13] Miguel d'Ors, *En busca del público...*, págs. 10-11.

[14] Miguel d'Ors, *En busca del público...*, pág. 15.

[15] Así es la interpretación de Jaime Siles, quien piensa que los *novísimos,* ignorando el sistema político y cultural del franquismo, intentan sentar las bases para superarlo democráticamente (Jaime Siles, «Los *novísimos:* La tradición como ruptura, la ruptura como tradición», *Ínsula,* 505, enero de 1989).
Pedro Gimferrer parece sugerir que el esteticismo preciosista crea un mundo en disonancia con la trivialidad de la época cuando afirma que «la actitud modernista representa una protesta implícita ante una realidad "abyecta"» (*Antología de la poesía modernista,* pág. 91).

gicamente, pertenecen a este período, y como muy sensatamente razona Ángel González: «Si la poesía *novísima* rompe expresamente con algo no es con la cultura franquista —que deja cuidadosamente a un lado—, sino con la otra cultura, con la cultura que intentó oponerse al franquismo»[16].

LOS AÑOS OCHENTA

La proximidad dificulta una visión panorámica y la apreciación precisa y bien enfocada de la poesía de los últimos lustros. Por eso, no es extraño que los críticos mantengan opiniones tan dispares. Se ha acusado a las últimas promociones de poetas de seguir prisioneras del culturalismo, el preciosismo y el esteticismo, y de no haber sido capaces de superar los logros de la poesía social o de los *novísimos*. También se ha dicho de la poesía de los ochenta, usando las palabras de Ortega y Gasset, que se trata de «una época vieja, un período durante el cual la sociedad literaria imita y gira sobre su propia tradición sin alterarla». Tengo que declararme en franco desacuerdo con esta opinión de Fanny Rubio recordada por F. J. Díez de Revenga[17]. Tampoco comparto la opinión de J. Mayhew de que, en contraste con los *novísimos*, «los poetas de los ochenta siguen contentos con una visión esencialmente conservadora del género»[18]. Estos pareceres creo que no se confirman si analizamos las tendencias renovadoras que van surgiendo: la poesía cívica o política, el realismo sucio, el florecer del neosurrealismo, el nuevo erotismo, la expresión amorosa desde la perspectiva de la mujer, y, descendiendo a aspectos de matiz, el nuevo sentido que poetas de los ochenta y noventa suelen dar al culturalismo y al helenismo, entre otros aspectos. El culturalismo, con el correr de los años, se va ajustando a funciones expresivas distintas y de muy variados

---

[16] Ángel González, «Poesía española contemporánea», *Los Cuadernos del Norte*, 3, agosto-septiembre de 1980, pág. 7.
[17] F. J. Díez de Revenga, «¿Qué es la poesía hoy?», *República de las Letras*, 37, abril de 1993, pág. 105.
[18] Jonathan Mayhew, *The Poetics of Selfconsciousness. Twentieth-Century Spanish Poetry*, Lewisburg, Bucknell University Press, 1994, pág. 131.

matices; la cita y el juego intertextual, tan frecuentes, no son simple exhibicionismo, si es que lo había sido anteriormente, sino hábil instrumento para mostrar su modo tan peculiar de captar una realidad exterior o psíquica desconocida por generaciones precedentes. Ya Jaime Siles hizo notar cómo lo que parecía «inmovilismo de superficie» era en realidad «cambio de fondo y de forma en la profundidad»[19]. Por ello, sólo coincido parcialmente con el juicio de Juan José Lanz, buen conocedor de la poesía de este período, cuando afirma:

> Hacia 1977, la mayor parte de las tendencias poéticas vivas *confluyen y se unen* para arrumbar la estética dominante inmediatamente anterior y establecer un nuevo marco de preferencias estéticas y poéticas, pero sin llevar a cabo una ruptura radical aparente como la que había sido protagonizada años atrás[20].

Si no hay una imprevista ruptura radical, sí que se observa una constante renovación y profundización de los viejos modelos. Conforme pasan los años podemos apreciar el tono y enfoque original de numerosos poetas que empiezan a publicar a partir de esta fecha y entrada ya la década de los ochenta, como Javier Salvago, José Gutiérrez, Abelardo Linares, Andrés Sánchez Robayna, Felipe Benítez Reyes, Miguel Mas o Julio Llamazares, todos los poetas de esta antología y otros muchos dignos de mención. Lo cierto es que a lo largo de estas dos décadas van surgiendo con inusitado vigor nuevas promociones de poetas dispuestos a renovar los modos de la creación marcando distancias con la estética novísima y cultivando su arraigo en una tradición selectiva. Todos ellos van a aportar una profunda renovación y se orientan hacia posiciones que comparten aspectos comunes o muy próximos[21].

---

[19] Jaime Siles, «Dinámica poética de la última década», *Revista de Occidente*, 122-123, julio-agosto de 1991, pág. 152. Uno de los objetivos que se propone esta Introducción es mostrar los rasgos de novedad y originalidad que esta poesía ofrece.

[20] Juan José Lanz, «Primera etapa de una generación. Notas para la definición de un espacio poético: 1977-1982», *Ínsula*, 565, enero de 1994, pág. 4.

[21] Al desarrollar sus estilos personales todos ellos llegan, como observa Lanz, a «una confluencia de diversas estéticas que han evolucionado hacia un espacio común» (Juan José Lanz, «Primera etapa...», pág. 4).

También se suele decir que la poesía de los años ochenta ofrece un panorama enmarañado, en el que confluyen los más diversos grupos y estilos para chocar en una auténtica ceremonia de la confusión[22]. Ante esta valoración conviene notar que si el pensamiento más reciente está marcado por el cruce de múltiples corrientes filosóficas y estéticas que afectan la realidad cultural y social, la poesía, si está viva, tiene que reflejar como parte integrante de este entramado la riqueza de tendencias y movimientos que florecen en el mundo de fin del milenio. Es cierto que surge una gran variedad de revistas y tendencias apoyadas por la política autonómica. En Córdoba, Antonio Rodríguez Jiménez proclama a los «poetas no clónicos» o independientes, se habla de la «poesía de la diferencia», M. Antonia Ortega nombra a los «poetas del desasosiego». Cada antología[23] tiene objetivos diversos y ofrece un mapa diferente de grupos poéticos dominantes y de poetas incluidos; cada una apuesta por nuevas tendencias y diferentes figuras de la lírica. A esto había que añadir que muchos críticos señalan la aparición desde 1975 de nuevas promociones que parecen cultivar una lírica personal, se desentienden de los cenáculos literarios y ni siquiera intentan el parricidio ritual propio de toda vanguardia. Las dificultades se amontonan al intentar una visión panorámica que presente con lucidez los hechos y las figuras de verdadero relieve.

En otro aspecto importante, José Olivio Jiménez propone aplicar a la poesía española de hoy el concepto estético de postmodernidad a fin de mejor entenderla y situarla en un marco universal y actual. Postmoderno no significa extravagante, divertido, bizarro o escandaloso. Es un término de gran amplitud. Ya no se quiere romper con la tradición artística, se la acepta o reelabora fundida con las preocupaciones

---

[22] Es cierto que la crítica se mueve en terreno movedizo, ya que se ve forzada a usar conceptos nuevos y muy vagos, y a usar una terminología aún poco definida. De ahí el carácter tentativo, sujeto a permanente revisión, de estos juicios.

[23] Me refiero a las de Elena de Jongh, Concepción G. Moral y María Rosa Pereda, la de Antonio Ortega, las numerosas y valiosas de J. L. García Martín y L. A. de Villena, las de José Enrique Martínez, la «consultada» y la de Miguel García-Posada, tan atinada en detectar figuras relevantes.

de hoy. Francisco Rico entiende la postmodernidad como «el rechazo de los dogmas de las vanguardias, sin la propuesta de otros equivalentes»[24]. No creo que debamos sentirnos aprisionados por el concepto de postmodernidad que formula Jürgen Habermas o por la perspectiva específicamente epistemológica de Jean-François Lyotard en el clásico ensayo *La condition Postmoderne: Rapport sur le Savoir*. Tampoco soy partidario del enfoque político-social del crítico marxista Fredric Jameson, que ve la mentalidad postmoderna como una manifestación extrema del «capitalismo tardío». Yo voy a usar el término en un sentido amplio y sintético, y por ello sólo hago referencia a algunos aspectos en los que pensadores y críticos suelen coincidir.

La condición postmoderna, por oposición a la extrema originalidad y novedad que buscaba la modernidad al rebelarse contra toda la tradición, favorece lo sincrético, lo pluralista y la estética integradora. Linda Hutcheon reconoce que el postmodernismo se mueve entre contradicciones sin preocuparse por armonizar estos extremos en un esquema lógico, ya que «usa y abusa, instala y después derroca los mismos conceptos que discute»[25]. Lo que busca es subvertir los viejos textos que formulan tradicionalmente la visión establecida de la realidad. Se ha dicho que para el artista postmoderno el pasado cesa de ser una carga que debe ser sacudida y se convierte en una caja de valiosos tesoros a los que recurre ávidamente. La estética postmoderna sigue abierta a los mismos temas y recursos de la modernidad, que pueden ser ahora reciclados desde una perspectiva paródica o simplemente mimética, aunque con un espíritu nuevo y en un contexto cultural diverso. El postmodernismo gusta reevaluar los viejos estilos. Por

---

[24] Rico rechaza el término «postmodernismo» por su carácter prescriptivo: «cuyo mismo regusto normativo lo convierte en un *ismo* más, en otra fase de las vanguardias» (F. Rico, «De hoy para mañana: La literatura de la libertad», en Darío Villanueva *et al.*, *Los nuevos nombres*, pág. 87). Otros críticos resaltan como rasgos de la postmodernidad el «eclecticismo del gusto» abierto a todas las incitaciones culturales que ofrece el mundo de las comunicaciones, el rebajamiento de las exigencias artísticas y la «pasión por lo *light*», ligero o no definitivo (J. C. Mainer, «Cultura y sociedad», en Darío Villanueva *et al.*, *Los nuevos nombres*, págs. 66-67).

[25] Linda Hutcheon, *A Poetics of Postmodernism*, Nueva York, Routledge, 1988, pág. 3.

eso —como dice M. Calinescu de la arquitectura postmoderna—, «reinterpreta el pasado en multitud de maneras, desde la cautivadoramente juguetona a la irónicamente nostálgica, e incluyendo tales actitudes o talantes como la irreverencia humorística, el homenaje oblicuo, la pía evocación, la cita ingeniosa y el comentario paradójico»[26]. Son los tipos de reacción ante la tradición textual que encontramos en la poesía reciente.

En la postmodernidad se borran las fronteras entre lo elitista y lo popular en un arte sincretista y acogedor (muy ajeno al gusto sofisticado y minoritario de algunos), que abre las puertas al arte de masas: cine, jazz, canción, etc. Este arte despierta interés en amplios sectores sociales haciendo surgir la novela para un gran público lector, y la poesía que, lejos de todo elitismo, se gana numerosos lectores. José María Parreño llega a definir la Movida como «la salsa con la que se aderezó la cultura para hacerla apetitosa como bien de consumo masivo»[27]. Por otra parte, su revisión de las viejas culturas y su visión del mundo son de una gran fecundidad, como observa Anne Hardcastle. Si «el postmodernismo nos niega el consuelo de los valores absolutos y de la estabilidad tranquilizadora, también nos tienta con el disfrute de nuestra propia creatividad y nuestras propias ficciones»[28]. La postmodernidad no sólo es cínica y destructora, sino que también abre horizontes insospechados.

LA POÉTICA DEL SILENCIO O EL NEOPURISMO[29]

Uno de los fenómenos que varios críticos constatan al comenzar la década de los ochenta, junto al declive del culturalismo y de la práctica metapoética, es el auge del gusto por lo

---

[26] Matei Calinescu, *Five Faces of Modernity,* Durham, Duke University, 1995, pág. 283.
[27] J. M. Parreño, «Mi generación vista desde dentro», *Revista de Occidente,* Madrid, 143, abril de 1993, pág. 132.
[28] Anne Hardcastle, *Writing on the Edge: Fantasy and the Fantastic in the Fiction of Contemporary Spanish Women Authors,* Tesis doctoral, Charlottesville, University of Virginia, 1999, pág. 244.
[29] Andrew Debicki, con buenas razones, prefiere hablar de «poesía *esencialista*» y destaca sus contenidos filosóficos y el magisterio de María Zambrano

clásico y el hecho de que «se afianza la poesía del silencio y se regresa a la tradición de la poesía pura»[30]. Este tipo de poesía, disgustada ante la retórica y vacuidad verbal, tiende a la síntesis, brevedad y concisión, por lo que también se la llama minimalista. Busca la condensación expresiva, la sugerencia y el uso de espacios blancos. Amparo Amorós ha analizado con gran riqueza de datos los orígenes remotos y próximos de esta «poética del silencio», que, en los creadores de las últimas décadas, invoca el magisterio de Octavio Paz y José Ángel Valente (citando con frecuencia al poeta Paul Celan), como guías en esta búsqueda de la precisión y la brevedad. Jorge Guillén, maestro para muchos de una poesía depurada, desnuda e intelectual, se refiere explícitamente al género japonés del «haiku» como precedente e inspirador de este tipo de poema breve[31]. Miguel d'Ors describe así esta poética:

> se plantea la creación partiendo del axioma de que la experiencia poética es, como la mística, inefable, y la palabra una imprescindible imperfección del silencio [...] Los minimalistas aspiran a la máxima concisión —poema breve, expresión sintética, lenguaje sugerente—, aunque con llamativa frecuencia agrupan sus composiciones en series más o menos largas, y a un tratamiento razonador y hermético que excluye los elementos emocionales y decorativos y maneja los sensoriales desde perspectivas acusadamente intelectualistas[32].

José Luis Jover, uno de los tempranos cultivadores de esta tendencia, habla de la poesía como «la forma del silencio», lo

---

en general y sobre «las maneras en que el lenguaje creador capta instantáneamente las ideas» *(Historia de la poesía española del siglo XX,* Madrid, Gredos, 1997, págs. 259-260).

[30] José-Carlos Mainer, en su lúcido ensayo introductorio a la «antología consultada», *El último tercio del siglo (1968-1998),* Madrid, Visor, 1999, pág. 28.

[31] Manfred Lentzen estudia su frecuente uso por poetas de fines del siglo XIX y principios del XX (A. Machado, Juan Ramón Jiménez, Jorge Guillén, etc.) como influjo de formas poéticas japonesas que ciertos poetas llenan de contenidos occidentales («Lyrische Kleinformen. Zum Haiku and zu Haiku-ähnlichen Texten in der modernen spanishen Dichtung», *Iberoromania,* Tübingen, 45, 1997, págs. 67-80).

[32] Miguel d'Ors, *En busca del público...,* págs. 36-37.

que viene a desembocar en el poema brevísimo e, incluso, en el simple mutismo o «escritura límite»: «Es el poema / una metáfora / del silencio» *(Retrato de autor,* 1982). Entre sus maestros preferidos cita Jover a José Ángel Valente o a pensadores como George Steiner y María Zambrano[33].

La incontinencia verbal del versículo libre y el neosurrealismo dieron nuevo ímpetu a esta vuelta a la contención y a una poesía esencialista y pura; se pretendió que el silencio expresara lo que la palabra no era capaz de comunicar. El magisterio del ideal purista del 27 y el deseo de ahondar en las experiencias prestan a esta poesía un toque intelectual, aunque también se dan aquellos poetas que tratan de captar en fórmulas apretadas la vivencia emocional. Destacaron como cultivadores de esta poesía minimalista Jaime Siles, Andrés Sánchez Robayna, María Victoria Atencia, junto con Justo Navarro y Amparo Amorós. A ellos habría que añadir otros como José María Bermejo, José Luis Jover, Carmen Pallarés Molina, Jenaro Talens, José Luis Falcó, Luis Suñén, José Carlos Cataño, José Luis Amaro, Serafín Senosiain, Miguel Martinón, César Simón, etc.

Amparo Amorós sitúa el apogeo de la «poesía del silencio» entre 1980 y 1985, y nombra a Jaime Siles como un destacado representante del género con sus libros *Música de agua* (1983) y *La roca (1980-1983)* (1984). No es que esta poesía domine los ambientes literarios, pero abundan sus cultivadores y admiradores y se le presta bastante atención crítica. Sin embargo, esta autora fija ya hacia 1985 el inicio de su declive[34]. Es cierto que por estos años dejó de figurar en el centro de la escena lírica, pero conviene notar que en fechas posteriores siguieron publicándose poemas y libros de alta calidad muy representativos de este tipo de poesía.

Hay muchos poetas que sólo en ciertos momentos o en determinadas obras cultivan este minimalismo expresivo. Así,

---

[33] Pedro Provencio, *Poéticas españolas contemporáneas. La generación del 70,* Madrid, Hiperión, 1988, págs. 153-155.

[34] Amparo Amorós, *La palabra del silencio. La función del silencio en la poesía española a partir de 1969,* Madrid, Editorial de la Universidad Complutense, 1991, *passim* y págs. 548-625.

José Gutiérrez, quien publica en 1978 *Espejo y laberinto,* «una poesía abordada desde un planteamiento intelectual que exige medios desnudos y depurados», en la tradición de Mallarmé[35], para abandonar en su próximo libro, *La armadura de sal* (1980), esta poesía breve y contenida. Álvaro Valverde la cultiva al principio de su actividad poética, para pasar, a partir de *Las aguas detenidas* (1989), a una reflexión metafísica sobre el entorno y la vida; Carlos Marzal la practica en ciertos poemas sueltos, o Juan Carlos Suñén en *Para nunca ser vistos* (1988), donde A. Amorós destaca:

> la racionalidad sintética de la sintaxis escalonada por espacios y quiebras tipográficas, y, sobre todo, la presencia de versos omitidos de cuya presencia anterior dejan huella estelas de puntos suspensivos, dando a los poemas un carácter de palimsestos en cuya superficie el tiempo ha borrado al azar ciertas palabras[36].

Justo Navarro coincide con estos poetas en la precisión, el rigor expresivo y la «estilización distanciadora de la anécdota»[37], si bien no se siente tan atraído por la parquedad verbal.

En años posteriores, la extremeña Ada Salas publica *Variaciones en blanco,* por el que obtuvo el premio Hiperión (1994), y *La sed* (1997). Sabe expresar sensaciones intensas en brevísimas sentencias escribiendo versos que son modelo de precisión y de una emoción viva pero contenida: «Aquí / fluye sólo el silencio / inconsolable» *(Variaciones en blanco,* pág. 73). Con frecuencia nos sorprende con la evocación leve de un erotismo deslumbrado y sugerente. Emoción e intensidad con un mínimo de medios.

---

[35] Amparo Amorós, *La palabra del silencio,* pág. 544.
[36] A. Amorós, *La palabra del silencio,* pág. 619.
[37] José Luis García Martín, «La poesía», en Darío Villanueva *et al., Los nuevos nombres,* pág. 116.
Los críticos citan otras tendencias que —con diversos nombres— podrían coincidir parcialmente con la «poética del silencio»: así se habla de neopurismo y conceptualismo o de minimalismo, poesía esencialista, o metafísica, o abstracta, etc.

Dentro del laberinto de tendencias y del pluralismo estético que domina la poesía de los ochenta suelen estar de acuerdo los críticos en constatar cambios visibles, o lo que llama J. L. García Martín «un cambio de perspectiva», que se inicia ya a partir de 1975 y se intensifica en la década siguiente. También J. J. Lanz cita acontecimientos que se acumulan en torno a 1977 «para arrumbar la estética dominante inmediatamente anterior y establecer un nuevo marco de preferencias estéticas y poéticas»[39]. Es un proceso gradual de distanciamiento que evoluciona durante los ochenta a partir del acervo poético heredado. El mismo crítico señala dos libros galardonados con el Adonais y un accésit: *El jardín extranjero* de L. García Montero y *Ludia* de Amparo Amorós, que encarnan dos modos de hacer poesía representativos de movimientos como «la otra sentimentalidad» y «la retórica del silencio»[40]. Como notas insistentes de esta lírica que va surgiendo se señalan la evocación intimista y autobiográfica, el confesionalismo —algo que solían evitar los *novísimos*—, la nueva sensibilidad urbana, la tendencia metafísica, una vuelta a lo emotivo y trascendente, y otros aspectos que miran hacia lo vital y las experiencias personales del individuo.

Ésta es, ante todo, una poesía individualista. Los años de bienestar invitan a consagrar las propias energías a los éxitos personales y al disfrute de las propias experiencias, no —como en épocas pasadas— a las grandes aventuras comunes. Por ello, no es extraño que cultiven una poesía ligera, personal y en gran parte hedonista, ya que en «una época ciertamente conservadora en la que no hay que luchar por las grandes palabras porque han perdido en gran manera su sentido»,

---

[38] Etiqueta tomada de Miguel García-Posada, «Del culturalismo a la vida. Poesía española, 1975-1991: evolución sin estridencias», *El País*, 9-X-1991, pág. 28.

[39] J. J. Lanz, «La joven poesía española al fin del milenio. Hacia una poética de la postmodernidad», *Letras de Deusto*, 66, enero-marzo de 1995, pág. 173.

[40] J. J. Lanz, «La joven poesía...», pág. 174.

tras el hundimiento de las ideologías, «vivimos una extraña época de facilidades artísticas, de poca responsabilidad y menor compromiso»[41]. Aunque esta última nota la comparten con la anterior generación novísima, conviene señalar que la poesía de los ochenta sabe profundizar en lo vital, personal y emotivo, y significa una verdadera rehumanización de la lírica.

Un crítico de prestigio analizaba la poesía reciente bajo el título «Poesía lírica, placer privado». Este epígrafe resultaba chocante, al menos para todos aquellos que durante décadas veníamos prestando atención a la poesía social de los años cincuenta y sesenta. Habíamos oído que la poesía «es un arma cargada de futuro» (G. Celaya), es un «arma de lucha» (M. Hernández) y que debe ser un instrumento para cambiar el mundo, como tantos poetas nos habían dicho durante décadas. José-Carlos Mainer, en este ensayo, continuaba citando a poetas jóvenes que:

> hablan de sensaciones impúdicamente personales —un vasar envejecido, un concreto día de felicidad, un paisaje familiar— que hace unos años se hubieran visto con recelo por lo excesivamente cotidianas y hace unos años más, con irritación por lo burguesamente egoístas[42].

José-Carlos Mainer notaba la frecuencia con que estos poetas de los años ochenta escribían «diarios» (género que alguien podría considerar tan poco lírico y tan prosaico): Eloy Sánchez Rosillo describe su mundo introspectivo y privado en *Páginas de un diario* (1981) y lo continúa en *Elegías* (1984) y *Autorretratos* (1989); Jon Juaristi expresa su experiencia de hastío bastante común a su generación en *Diario del poeta recién cansado* (1985); Vicente Gallego escribe su diario *La luz, de otra manera* (1988), y Dionisia García *Diario abierto* (1990), mientras Luis García Montero publica su *Diario cómplice* (1987). La existencia cotidiana, trivial, intrascendente, la aventura amorosa,

---

[41] Federico Gallego Ripoll, «El laberinto transparente. Renovación en los poetas de los ochenta», en M. Di Pinto y G. Calabrò, *La Poesia Spagnola Oggi*, pág. 89.
[42] «Poesía lírica, placer privado», *De postguerra (1951-1990)*, Barcelona, Grijalbo-Mondadori, 1994, pág. 162.

la salida nocturna con los amigos son, con frecuencia, escenarios de esta lírica despreocupada y hedonista.

Podríamos decir que numerosos poetas bajan del pedestal, adonde se habían encaramado con los *novísimos*, y adoptan el lenguaje de la calle:

> Baste recalcar que el antiguo edificio de ópalos, pérgolas, carrozas, chamberlanes, plumajes, porcelanas, amorcillos, gonfalones y abanicos ha derivado en un lenguaje que en absoluto desdeña lo coloquial y, no pocas veces, se empoza en un léxico declaradamente impuro, como el que articula estos versos de Jorge Riechmann (1962): «carne, pelos, adobe, sueños, humo / trapos, pan, semen, yeso, sangre y moho». Es patente, en fin, la cada vez más obstinada irrupción de prosaísmos, así como la despreocupación —epítetos demesurados o anodinos, rimas internas, caídas rítmicas, falta de pulimento, en suma— por el matiz[43].

Subrayar la importancia lírica de las emociones y afectos más íntimos, como hacen ciertos poetas, no es sino confirmar la primacía de toda experiencia psíquica en la concepción y concreción del poema. José María Parreño señala en una conferencia cómo «frente a la reacción esteticista de los Novísimos, mis compañeros y yo tuvimos una reacción digamos "vitalista"»; «si hemos elegido muchos de nosotros hablar de vida y experiencia tenemos que tratar de escribir desde una biografía apurada, extremada, vívida y vivida»[44].

Leopoldo María Panero, de modo intenso y radical, volcaba la propia experiencia vital en su obra poética, de modo que ésta era la proyección obsesiva de su íntima crisis personal, que se exhibía a veces con trágicos y patéticos acentos, aunque sus escritos ofrecieran textos en apariencia contradictorios, como cuando decía que «la poesía no tiene más fuentes que la lectura y la imaginación del lector», o cuando afir-

---

[43] A. Sánchez Zamarreño, «Claves de la actual rehumanización poética», pág. 60. Los versos de J. Riechmann son del poema «"Mujer sentada" de Egon Schiele», que trae L. A. de Villena en *Postnovísimos*, pág. 148.

[44] José María Parreño, «Mi generación vista desde dentro (Algunas indiscreciones sobre la poesía española actual)», *Revista de Occidente*, 143, abril de 1993, págs. 139, 141.

maba que «la poesía es algo objetivo». Pero Panero, hacia 1984, entiende la poesía como «un psicoanálisis» o como «testimonio de la decadencia de un alma»[45].

Casi en los umbrales de los años ochenta es en la obra de Luis Antonio de Villena —poeta de transición y precursor de nuevas tendencias— donde poesía y experiencia vital llegan a una identificación y fusión más completa. Para él, el arte es vida y la vida se vive como arte; él habla de un libro «vivido» y de que la poesía le interesa como placer. En 1979 describe esas relaciones entre cultura y vida:

> Me interesa el arte que teatraliza la vida —el arte como realidad—, y la vida que se vive como arte —la realidad como imaginada. Lo cual, a mi ver, conecta con el hedonismo. La poesía me interesa como placer, y el placer —el verdadero placer— ha de constituir una intensidad[46].

Dentro de estas orientaciones hay poetas que tienden hacia una indagación seria de la intimidad. La poesía ya no es frívolo «esteticismo», sino una manifestación de la pasión y de la intensidad biográfica. «Mi poesía es fundamentalmente mi vida», afirma María Sanz. Los nuevos poetas —como nota Sánchez Zamarreño— exhiben, frente a los novísimos, esta relación apasionada entre el autor y su escritura, buscan una poesía que, lejos de la lucidez distanciada de los *novísimos*, compromete toda la personalidad, cree en la inspiración, en el rapto y el aliento lírico, que da la primacía a la autenticidad y a la emoción.

Preguntarse, como se hace en una encuesta reciente, si es la vida o la cultura el «único estímulo legítimo de la creación poética» es un planteamiento poco afortunado, ya que nombra sólo los dos polos de un amplio y matizado espectro de posibilidades. Como afirman la mayoría de los encuestados, «la cultura y la experiencia personal» son inseparables (L. García Montero), o «experiencia biográfica y experiencia cultural

---

[45] P. Provencio, *Poéticas españolas...*, pág. 197.
[46] P. Provencio, *Poéticas españolas...*, págs. 214-215, 218.

son exactamente lo mismo» (Carlos Marzal)[47]. El deslizamiento de la poesía, durante los años ochenta y noventa, desde un intenso culturalismo hasta situar la vida misma (pensamiento, emociones, experiencias incluso cotidianas) en el centro de su interés, es un hecho constatado por críticos de muy variadas tendencias.

POESÍA ESCRITA POR MUJERES Y NEOEROTISMO

Un fenómeno muy llamativo de la literatura reciente es la abundancia de obra lírica escrita por mujeres, como ya proclamó Ramón Buenaventura en 1985 al publicar *Las diosas blancas: Antología de la joven poesía española escrita por mujeres*. Los años ochenta y noventa del siglo XX viven la fulgurante aparición de una gran cantidad de mujeres poetas de extraordinario relieve, que además escriben una lírica de un vigor expresivo y una vitalidad insólitos. Unas siguen más o menos los gustos de la poesía del momento, mientras que otras adoptan actitudes muy innovadoras y subversivas. María Victoria Atencia, Amparo Amorós, Rosa Romojaro, Fanny Rubio, María del Carmen Pallarés, Concha García, María Sanz, Blanca Andreu, Almudena Guzmán, Luisa Castro, Juana Castro, Amalia Iglesias, Andrea Luca, junto con otras antes citadas, son poetas que logran replantear, desde perspectivas de gran frescura y originalidad a veces, los viejos temas literarios a que estábamos acostumbrados. Otra antología, *Ellas tienen la palabra* (1997) de Noni Benegas y Jesús Munárriz, no hace sino

---

[47] Me refiero a la controversia suscitada por Guillermo Carnero con su artículo «¿Vida o cultura?», *El cultural*, Madrid, 29-III-2000, pág. 3, a la que sigue una encuesta, «La poesía, a debate», *El cultural*, 5-IV-2000, págs. 12-15. P. Gimferrer se pregunta: «¿No es la experiencia cultural parte de la experiencia cotidiana?», y así piensan la mayoría de los encuestados, como J. L. García Martín, Francisco Brines, Pablo García Casado, Luis Antonio de Villena, Benjamín Prado, Antonio Lucas, Carlos Marzal, Felipe Benítez Reyes. El propio Carnero, autor de la controversia, viene a afirmar lo mismo: «la experiencia cotidiana y la cultural actúan inseparablemente entrelazadas en el funcionamiento espontáneo del pensamiento, de una persona culta, por supuesto» («¿Vida o cultura?», *El cultural*, 29-III-2000, pág. 3).

confirmar esta poderosa floración de lírica escrita por mujeres (40 poetas incluye este volumen), donde aparecen figuras de gran prestigio como Olvido García Valdés y otras con una obra importante, pero a su vez de gran promesa, como Isla Correyero, Aurora Luque, Amalia Bautista o Ada Salas, entre otras. José María Parreño resalta sobre todo el vigor de esta poesía «que tiene de específico la expresión de una sensibilidad que no es la que hasta entonces entendíamos por femenina, porque con frecuencia aparece con una fuerza y desde un yo poético verdaderamente insólito»[48].

No puedo dejar de hacer mención especial de Ana Rossetti, que en libros como *Los devaneos de Erato* (1980), *Dióscuros* (1982), *Indicios vehementes* (1985) o *Devocionario* (1986) trata temas sexuales y eróticos con cierta nobleza y candor mezclado con sensualidad, erotismo e ironía, en una ética hedonista alejada de la rígida moral cristiana. Rossetti es una de las mejores poetas eróticas y sabe labrar un estilo inconfundible erotizando los temas y motivos más sagrados de la tradición o de la liturgia cristiana. «Ana Rossetti es de las poetas que destrozan con humor burlón la imagen de la mujer inventada por el hombre»[49].

Así lo vemos en «Chico Wrangler», breve poema en que toda la imaginería y el enfoque de la poesía amorosa petrarquista quedan desmontados. Si allá el amante se recreaba fascinado por los encantos de su objeto femenino, aquí es la mujer la que se imagina y disfruta al atractivo objeto masculino. La poeta pinta la figura de un chico en un anuncio publicitario que no es un individuo, sino una proyección de la hombría deseada por la mujer. Como el placer deseado es corporal, la poeta va recordando con morosidad las partes del cuerpo apetecido: «boca», «pecho», «brazo», «piernas». «Rossetti logra expresar la intensidad del deseo sexual femenino al mismo tiempo que desafía sonriente la tradición de la poesía amorosa por medio de la radical inversión» del tópico[50].

[48] J. M. Parreño, «Mi generación vista...», pág. 135.
[49] Son palabras de Sharon K. Ugalde, «Subversión y revisionismo en la poesía de Ana Rossetti, Concha García, Juana Castro y Andrea Luca», en B. Ciplijauskaité, *Novísimos, Postnovísimos*, pág. 119.
[50] Sharon K. Ugalde, «Subversión y revisionismo...», pág. 122.

Frente al tradicional piropo callejero a las formas femeninas, siempre en boca de hombres, aquí es una mujer la que fascinada por la atractiva figura no ya de un hombre real, sino del cartel publicitario que anuncia un pantalón vaquero, se deleita contemplando sus «perfectas piernas» que en el ceñido pantalón se abren sugestivamente.

Ana Rossetti abre la brecha a numerosas mujeres que cultivan el poema erótico en estilos muy diversos y con gran riqueza de tonos y recursos. Blanca Andreu destaca por su lenguaje intenso y alucinado, que habla de instintos, amor y muerte, en metáforas delirantes y en largos versículos que inician la nueva moda surrealista, mientras Almudena Guzmán inventa un ritmo verbal que rezuma candor y frescura para expresar ingenuas experiencias de gran sensualidad, que oscilan entre la osadía y la timidez, sin que falte la chispa del humor.

Otras poetas de las incluidas cultivan una poesía menos interesada por el tema amoroso y más propensa a una lírica intelectual con cierto sentido culturalista (Esperanza López Parada y Aurora Luque) o una poesía pura de reflexiones o emociones condensadas en pocas palabras (Ada Salas).

Poesía de la experiencia

Abundantes críticos coinciden en considerar la *poesía de la experiencia* como «una de las tendencias más multitudinarias en los últimos años»[51] o «cuantitativamente la [corriente] más importante, y desde luego la más visible»[52]. El concepto,

---

[51] J. J. Lanz, «Primera etapa...», pág. 5.

[52] Enrique Molina Campos, «Encuesta a poetas, críticos y editores», *Ínsula*, Madrid, núm. 565, enero de 1994, pág. 17. En la misma encuesta, Antonio Ubago constata «una preponderancia de la llamada "poesía de la experiencia"» (pág. 20). Antonio Ortega, a pesar de sus severas objeciones a esta teoría y práctica poética, nombra entre «las cabezas jóvenes más visibles y consagradas» de la «poesía de la experiencia» a muy destacados poetas, como L. García Montero, F. Benítez Reyes, C. Marzal, V. Gallego, Álvaro García y B. Prado («Entre el hilo y la madeja: Apuntes sobre poesía española actual», *Zurgai*, Bilbao, julio de 1997, pág. 47). No obstante, esta poesía ha sido objeto de fuertes

vago en sí mismo, si lo entendemos bien alberga un sentido más preciso, al que sí se refiere el libro de Robert Langbaum *The Poetry of Experience*, tan citado por críticos y poetas. Este ensayo no sólo habla del «monólogo dramático», sino de una cierta exaltación de la experiencia como la más alta aspiración del ser humano en una visión de la existencia forjada por la rebeldía romántica y moderna que ha perdido las certezas y valores que, en épocas pretéritas, nos prestaba la religión, la filosofía o la ideología. Lo que importa al poeta de hoy son sus propios sentimientos y su experiencia, por la que asimila su mundo e imprime un sello personal a la tradición cultural que ha recibido[53].

Gil de Biedma, guiado por Cernuda y Langbaum, ha leído a importantes poetas como «Blake, Coleridge y Wordsworth, Leopardi, Goethe y Hölderlin, [que para él] son algo más que unos remotos nombres prestigiosos: son los primeros poetas modernos, los fundadores de la poesía que nosotros hacemos»[54]. De William Blake es el libro *Songs of Experience* (1793), que también pudo sugerir, además del nombre, la inclinación hacia la poesía urbana y de protesta social[55].

Luis Cernuda, ávido lector de esta lírica, y Gil de Biedma, inspiran a jóvenes creadores, en quienes despiertan el interés por ciertos poetas ingleses, que el ensayo de Robert Langbaum *The Poetry of Experience (The Dramatic Monologue in Modern*

---

ataques por varios críticos que, en tono de censura, la suelen calificar de «tendencia dominante, hegemónica, oficial» (Antonio Rodríguez Jiménez, «Encuesta a poetas», pág. 18), o por Juan Carlos Suñén, según el cual y en vista de las últimas antologías, «parece que experiencia y vida sean poco más que salir de noche, oír jazz, beber y sufrir de amores» («¿Crítica militante?: Problemas de la poesía al filo del milenio», *Diablotexto*, Valencia, 1, 1994, pág. 17).

[53] «El desarrollo de cada personal experiencia traduce a términos propios el de la tradición cultural que le ha precedido» (Jaime Gil de Biedma, *El pie de la letra. Ensayos completos*, Barcelona, Crítica, 1994, pág. 51).

[54] J. Gil de Biedma, *El pie de la letra*, pág. 350.

[55] En efecto, William Blake en sus *Songs of Experience* tiene poemas como «London», en que se siente afectado por la desolación del Londres de su tiempo, que condena con gran fuerza emotiva al recordar los «gritos de miedo de los niños» o las blasfemias de las prostitutas, o como «The School Boy», que es un canto de protesta contra los duros y crueles métodos educativos al uso (William Blake, *Songs of Innocence and Experience*, ed. Andrew Lincoln, Princeton University Press, 1991, págs. 193, 202).

Literary Tradition) (Nueva York, W. W. Norton and Co., 1963) les ha ayudado a apreciar[56]. Esta obra muestra la figura del poeta como iconoclasta que ha rechazado los valores tradicionales y que «descubre sus propios sentimientos y voluntad como fuente de valores en un universo, por lo demás, sin sentido». Se vuelve desafiante y reivindica su propia libertad exhibiendo «tanta emoción y voluntad como puede»[57]. El poeta sólo cree en sí mismo y en su «infinita capacidad de experiencia, su capacidad para sentir algo sobre todo lo que el mundo le ofrece»[58]. Según formula Julián Jiménez Heffernan: «el poeta parte de una experiencia sensorial *(fact)* que impacta fuertemente en su imaginación, a modo de epifanía, y luego procede a la formulación verbal de dicha experiencia»[59]. La búsqueda frenética de experiencias y la alta confianza en las mismas son la base del descubrimiento de insólitas vivencias y emociones y del hallazgo de nuevos valores. La labor del poeta es trasladar al lenguaje lírico tanto la experiencia vivida como las emociones y reflexiones asociadas a ella. Numerosos poetas recientes, tras la huella de Cernuda y Gil de Biedma, con fe en la trascendencia de las vivencias personales, siguen libremente la huella de aquellos poetas de la experiencia, ya que desconfían —como ellos— de valores trascendentales y no aceptan, como dice P. Ballart, «descripciones autoritativas de la realidad, ni asertos *sub specie aeternitatis*»[60], sino que adoptan una actitud de duda y cautela al carecer de aquellos soportes:

---

[56] A la obra de R. Langbaum alude Gil de Biedma en págs. 50-51, 291, 348-350 de *El pie de la letra*. Muchos poetas jóvenes recogen este tipo de escritura y enfoque de la obra lírica. Los ensayos de poetas como Gil de Biedma, Luis Cernuda, Gabriel Ferrater, o las lecturas de Browning, Tennyson o William Blake (el autor de *Songs of Experience)*, y de toda una rica tradición de poetas de la experiencia, como Wordsworth, Eliot, Auden, Lowell, etc., conducen a este tipo de lírica.

[57] «... When he discovers his own feelings and his own will as a source of value in an otherwise meaningless universe»...; «exhibiting as much emotion and will as possible» (R. Langbaum, *The Poetry of Experience*, pág. 16).

[58] «... his infinite capacity for experience, his capacity for feeling something about everything in the world» (Langbaum, *op. cit.*, pág. 17).

[59] «Introducción» a Robert Langbaum, *La poesía de la experiencia, El monólogo dramático en la tradición literaria moderna*, Granada, Comares, 1996, pág. 22.

[60] Pere Ballart, «Gabriel Ferrater y la poesía de la experiencia», *Ínsula*, Madrid, 523-524, julio-agosto de 1990, págs. 41-42.

La poesía abandonaba propósitos antiguos como la imitación de la realidad o la exposición de un orden de ideas sobre el mundo, para intentar reproducir una experiencia, captar su proceso y hacer emanar del mismo, a manera de síntesis, un juicio de implicaciones morales[61].

Las propias emociones y las vivencias personales llenan el espacio preferente que ocupaban las grandes verdades trascendentes del pasado. De ahí su protagonismo.

Hay otro aspecto importante que viene asociado a este concepto. Langbaum establece una correspondencia entre el antiguo *coro* de la tragedia griega y la *voz poética*, lo que es un hecho de grandes consecuencias para la lírica. El lector, que, como el espectador en el teatro, «comienza identificándose con el coro, también se identifica con el héroe [la voz poética]» simpatizando con sus sentimientos[62]. Es esta urgencia de acercamiento al lector la que obliga al poeta de la experiencia a adoptar un lenguaje accesible al ciudadano común:

> el poeta no podía sino adoptar un tono natural —el más cercano a la experiencia— y dar indicios de lo provisional de sus pareceres, en ningún caso extrapolables más allá del marco de cada una de sus creaciones[63].

Otra faceta destacable de esta poesía, que ha gozado durante lustros de gran actualidad, sería la narratividad, el poema considerado

> como una modalidad del relato, como un desarrollo particular de la experiencia, entendiendo ésta en su acepción más general, integradora de elementos biográficos, históricos y culturales[64].

El uso de la narratividad los une a una larga tradición de poetas que van desde Machado, algunos del 27 y abundante

---

[61] P. Ballart, «Gabriel Ferrater y la poesía...», pág. 42.
[62] R. Langbaum, *The Poetry of Experience*, pág. 230.
[63] P. Ballart, «Gabriel Ferrater y la poesía...», pág. 42.
[64] A. Jiménez Millán, «Un engaño menor. Las generaciones literarias», en M. Di Pinto y G. Calabrò, *La Poesia Spagnola Oggi*, pág. 37.

poesía de la posguerra. Ésta se convierte en un subgénero muy propio de los tiempos postmodernos, en que se dan los poemas reflejo de historias detectivescas, películas de intriga, cine negro, etc., como vemos en Luis Alberto de Cuenca, Luis García Montero y otros. Justo Navarro llama *Serie negra* a su primera colección de poemas, pero lo narrativo es frecuente en su poesía. Antonio Muñoz Molina dice en la introducción a *Los nadadores*: «Buscamos en cada página de este libro los rastros de una historia... J. Navarro ha escrito una sigilosa novela».

Un recurso frecuente en esta *poesía de la experiencia* es el *monólogo dramático* o el empleo de una voz lírica distinta de la del poeta mismo. El vate se inventa un personaje poético, máscara de sí mismo, en cuya voz expresa su historia, visión del mundo, ideales, deseos o temores. El hablante de estos monólogos *«prorrumpe* en el monólogo como la soprano prorrumpe en un aria, de manera brusca, sorprendente, con una dignidad casi litúrgica»[65]. Y el lector percibe la experiencia tal como la vive la voz poética, que nos cuenta los hechos desde su perspectiva e intereses personales. Por eso, se ha dicho que el *monólogo dramático* crea una «poesía de simpatía», que trata de atraer al lector, que la recibe con una mezcla de juicio y simpatía[66]. El *monólogo dramático* es también una manera de «enmascarar, como hizo Cernuda, la propia intimidad»[67]. El poeta usa una identidad distinta de la suya para dramatizar la oleada de la emoción y al mismo tiempo quitar inmediatez a los sentimientos. Como dice Langbaum, no olvidemos que el monólogo fue concebido por Browning y Tennyson «como una reacción contra el estilo confesional de los románticos»[68]. Un modo especial del *monólogo dramático* es lo que llama d'Ors el «poema de personaje histórico», en que el poeta proyecta su subjetividad en una figura conocida, que también puede ser legendaria o mítica, como la estatua de Venus que

---

[65] Julián Jiménez Heffernan, «Introducción» a Robert Langbaum, *La poesía de la experiencia*, pág. 26.
[66] R. Langbaum, *The Poetry of Experience*, págs. 79, 232.
[67] M. d'Ors, *En busca del público...*, pág. 82.
[68] R. Langbaum, *The Poetry of Experience*, pág. 79.

disfruta de la visita del marinero en «El Argonauta» de María Sanz, o la «Diótima» de Ana Rossetti. Estos personajes de ficción pueden con frecuencia interpretarse como un desdoblamiento del protagonista o sujeto lírico. «Las diferentes personas que aparecen en el texto no son más que diversas perspectivas desde las que el sujeto emprende ese autoconocerse y autogenerarse»[69].

Muchos de estos planteamientos de la *poesía de la experiencia* comprenderían también a los poetas que, según J. L. García Martín, practican la *poesía figurativa*, etiqueta con que él denomina «la tendencia que ha marcado decisivamente los quince últimos años de la poesía española»[70]. También Antonio Ortega identifica la *poesía de la experiencia* con la figurativa, como el cuerpo de la creación lírica de los años ochenta que parece «responder a una no muy clara demanda del público» y que es «una poesía fundada en el coloquialismo expresivo y en el acomodo a la tradición, que pone en evidencia los recursos "mentirosos" del lenguaje poético»[71]. Tal acercamiento al público lector es señalado por importantes críticos como Miguel d'Ors, y es apoyado y fomentado por uno de los más notables distintivos de la *poesía de la experiencia*, «la vuelta de los jóvenes a la realidad»[72].

La *poesía de la experiencia* en sus mejores representantes —un caso conocido sería L. García Montero— capta el lirismo de lo cotidiano y logra expresarlo con metáforas y ambientes del mundo postmoderno en un lenguaje que no esquiva el neologismo o el invento más reciente[73]. Carlos Mar-

---

[69] J. Sabadell Nieto, *Fragmentos de sentido. La identidad transgresora de Jaime Gil de Biedma,* Barcelona, Promociones y Publicaciones Universitarias, 1997, pág. 33.

[70] Habla este crítico de *poesía figurativa* «por analogía con la distinción entre pintura figurativa y pintura no figurativa: todos ellos [estos poetas] se encuentran más cerca de Gaya que de Tapies» (J. L. García Martín, *La poesía figurativa,* Sevilla, Renacimiento, 1992, pág. 209).

[71] Antonio Ortega en «Encuesta a poetas...», pág. 18.

[72] L. García Montero, «Una musa vestida con vaqueros», *Ínsula,* Madrid, 565, enero de 1994, pág. 24.

[73] Fuera de esta tendencia hegemónica y como auténticos poetas de calidad Rodríguez Jiménez nombra a Martínez Mesanza, Casado, Suñén y García Valdés («Encuesta a poetas...», pág. 18).

zal, Jon Juaristi, F. Benítez Reyes, Vicente Gallego, Javier Salvago, Inmaculada Mengíbar, Luis Muñoz o Benjamín Prado, entre otros muchos, prestigian (cada uno de un modo muy personal) este modo de creación, con frecuencia tan denostado y atacado, al que algún crítico ha descrito como un «tipo de poesía urbana»[74].

LA OTRA SENTIMENTALIDAD

Con este título, inspirado en la expresión «nueva sentimentalidad» de Antonio Machado (*Juan de Mairena*, XII), publican tres poetas granadinos (A. Salvador, L. García Montero y J. Egea) en 1983 una antología precedida de una especie de manifiesto poético (algo desacostumbrado entonces) bajo el título *La otra sentimentalidad*, que viene a fortalecer y dar difusión a ideas próximas al intimismo y a la *poesía de la experiencia*. Superando gustos novísimos, todos tienden a acercar el arte a la vida. En esta línea, la poesía de los ochenta viene a conectar con la de los cincuenta, ya que esta generación (entre cuyos miembros Jaime Gil de Biedma, Claudio Rodríguez y Francisco Brines son los preferidos) había vivido la conexión entre poesía y biografía. El nuevo grupo «se plantea como posibilidad y como programa la fusión de intimidad y experiencia, desde la perspectiva de la historia como una aventura personal y de la ternura como una forma de rebeldía»[75]. Se recurre a la emoción como moneda de cambio y como medio de comunicación con el lector.

Luis García Montero denuncia en la lírica tradicional «el espejismo de la sinceridad y [...] la pureza tramposa de lo espontáneo», para afirmar sin ambages que el poema es «una puesta en escena, un pequeño teatro para un solo espectador». Y añade: «es preciso aceptar que la literatura es una actividad deformante, y el arte de hacer versos, un hermoso simu-

---

[74] Antonio Ubago, «Encuesta a poetas...», pág. 20.
[75] Juan María Calles, «Una nueva sentimentalidad en la poesía española contemporánea», *España Contemporánea*, tomo IV, primavera de 1991, páginas 93, 94.

lacro»[76], lo que concuerda perfectamente con el parecer de Gil de Biedma[77] y con el uso, tan común, del *monólogo dramático* por tantos poetas.

García Montero da libre acogida al sentimiento en la nueva lírica: «la poesía es confesión directa de los agobiados sentimientos, expresión literal de las esencias más ocultas del sujeto». El poeta de Granada en su formulación de la estética del grupo está aportando elementos que desembocan en la *poesía de la experiencia* y la enriquecen:

> la intimidad y la experiencia, la estilización de la vida o la cotidianización de la poesía. Unas veces el sagrado pozo del poeta sale a la luz en sílabas contadas; otras, es la vida diaria —esta inquilina embarazosa— la que se hace poema. Y siempre como telón de fondo la vieja sensibilidad[78].

Sin embargo, la obra poética de Luis García Montero, Javier Egea, Álvaro Salvador, Luis Muñoz, Benjamín Prado, Inmaculada Mengíbar y otros de su grupo está sólo tenuemente marcada por esta teoría y resulta bastante próxima a la de otros muchos poetas «insertos en una amplia tendencia general», como «Javier Salvago, Felipe Benítez Reyes, Jon Juaristi, Alvaro García, Carlos Marzal, Vicente Gallego, José Luis Piquero»[79], que podrían caber en el ancho cauce de la *poesía de la experiencia*. Tal vez no ande desacertado Miguel d'Ors al constatar una especie de «autodisolución de "la otra sentimentalidad" en el cauce más ancho de la "poe-

---

[76] L. García Montero, *Confesiones poéticas,* Granada, Excma. Diputación Provincial, 1993, págs. 221, 187.

[77] Gil de Biedma escribe: «La voz que habla en un poema, aunque sea la del poeta, no es nunca una voz real, es sólo una voz posible, no siempre imaginaria, pero siempre imaginada. La persona poética es precisamente eso, impersonación, personaje» («Como en sí mismo, al fin», *El pie de la letra,* pág. 348). Según el tan citado Langbaum, es Nietzsche quien al dar al drama carácter lírico presta también a la lírica carácter dramático: «el "yo" de la lírica es un actor en esta imagen soñada —una máscara, al igual que el héroe trágico es una máscara, de la vida esencial del poeta y, por tanto, de la vida común a todos nosotros» (R. Langbaum, *The Poetry of Experience,* pág. 230).

[78] L. García Montero, *Confesiones poéticas,* págs. 185-186.

[79] Miguel d'Ors, *En busca del público...,* pág. 59.

sía de la experiencia"»[80], a la cual, diría yo, aportan valiosos elementos.

Un fondo teórico marxista y el magisterio de Rafael Alberti llevó a este grupo a proclamar —a contrapelo del esteticismo postnovísimo— una recuperación del realismo y un sentido del compromiso, que comparten con varios poetas de los años cincuenta y sesenta, y que les presta rasgos muy especiales. L. García Montero se confiesa preocupado por la realidad ambiente, y, ante la acusación del bajo nivel artístico de la poesía social, arguye que «en la poesía social podemos encontrar buenos o malos poemas, exactamente lo mismo que en la poética del silencio, en la tradición cernudiana o en el neorromanticismo». Frente a los *novísimos* confiesa: «somos muchos los que no consideramos justificado el silencio, ni por lo que se refiere a este país, donde el cambio es cada vez más sospechoso, ni por lo que tiene que ver con el mundo». Para concluir con una actitud matizada: «la poesía no es un arma cargada de futuro, sino de presente»[81].

Lo cierto es que es este grupo de los pocos que reivindican el compromiso poético y practican una crítica directa de su mundo. A ellos se unen, al menos en la práctica, poetas como Juan Carlos Suñén, Roger Wolfe o Jorge Riechmann, que cultivan una poesía cívica o de severa crítica a su entorno, y otros muchos como Carlos Marzal, José A. Mesa Toré, etc., que con su ácida ironía atacan sin piedad el mundo en que les ha tocado vivir. Resulta, pues, difícil aceptar la opinión de Jaime Siles: «La nueva poesía, por lo general y con muy pocas excepciones (Riechmann, Amparo Amorós, Manuel Vilas, Juan Carlos Suñén y Martínez Mesanza), renuncia a criticar el mundo»[82].

POESÍA DE TENDENCIA NEOCLÁSICA Y HELÉNICA

Uno de los fenómenos típicos de la postmodernidad —frecuente en la poesía reciente— es la manipulación de textos, lugares, formas, mitos y temas clásicos, proyectados hacia un

---

[80] Miguel d'Ors, *En busca del público...*, pág. 59.
[81] L. García Montero, *Confesiones poéticas*, págs. 197, 204.
[82] Jaime Siles, «Dinámica poética...», pág. 168.

intenso disfrute y experiencia del presente. Es un recurso muy alejado del «imposible y patético clasicismo» de los garcilasistas de la inmediata posguerra, pero también diferente del culturalismo novísimo, ya que estas alusiones a lo clásico no son sino «máscara» con que revelar (no esconder) los sentimientos, dudas, ambigüedades y aspiraciones del poeta de hoy. El elemento pagano, suprimido durante siglos por el cristianismo, es hoy «lo que más nos interesa»[83], convertido en un plácido hedonismo.

Luis Antonio de Villena afirma que una línea poética de «sesgo clásico» «ha sido la predominante y más seguida en los años ochenta y entre la generación más joven»[84]. Lo de «predominante» me parece insostenible, pero es cierto que los mitos clásicos, así como el espíritu y la estética del mundo antiguo, como en siglos pasados, han despertado fascinación en numerosos poetas de las últimas décadas, si bien conviene señalar las diferencias. El centro de estas evocaciones míticas, en los poetas recientes, es el mundo y la vida postmoderna. Las alusiones míticas son simples metáforas para iluminar una experiencia humana de hoy. T. S. Eliot, en un breve ensayo sobre el *Ulysses* de James Joyce, supo vislumbrar el profundo sentido que logran los mitos griegos manejados por un autor moderno, cuando observa que Joyce «al usar el mito, al manipular el paralelismo continuado entre contemporaneidad y antigüedad» está descubriendo «simplemente una manera de controlar, de ordenar, de darle una forma y un significado al inmenso panorama de futilidad y anarquía que es la historia contemporánea»[85]. No es, pues, culturalismo ornamental, sino expresión adecuada e intensa del yo, de lo íntimo y confesional. Este neoclasicismo o helenismo persigue también —como nota Villena— una «nostalgia de paganismo, entendido como mítico amor a la vida, pasión, moral abierta, apetito de belleza, o renovación»[86].

---

[83] Fernando R. de la Flor, «Neo-neo-clasicismo en la poesía española última», *Los Cuadernos del Norte*, Oviedo, 20, julio de 1983, pág. 62.

[84] L. A. de Villena, *Fin de Siglo. Antología*, Madrid, Visor, 1992, pág. 9.

[85] T. S. Eliot, «Ulysses, order, and myth», *The Dial*, Chicago, LXXV, noviembre de 1923, pág. 483.

[86] L. A. de Villena, *Fin de Siglo*, pág. 15.

Lo original de este recurso, por lo demás tan común en la historia de las letras, es el modo particular como poetas recientes manipulan el motivo clásico para plasmar con eficacia una experiencia de hoy. María Sanz —por citar un ejemplo— muestra extraordinario ingenio, refinamiento y calidad lírica, al escribir poesía de la experiencia personal disfrazada en un tema helénico de gran sensualidad. En ello consiste su sabor postmoderno y exquisito. En su libro *Aves de paso* (1991), la poeta traslada su experiencia erótica a un ambiente griego en el poema «Argonauta» y asume la voz de una bella diosa en marmórea estatua clásica que disfruta el placer de la compañía de un joven marinero. Es una poesía de tono íntimo, delicado y muy sugestiva. Es culturalista y es vital[87]. María Sanz no puede disimular su nostálgico y pagano apetito de belleza en el disfrute de la experiencia íntima.

> Bello muchacho aquel... Rozó mis piernas
> que ardían con el sol, tentó mi talle
> ceñido por la brisa, y en mis manos
> sus dorados cabellos se prendieron.
>
> Dulce muchacho aquel... Llegó a dormirse
> junto a mi pedestal...
>
> *(Aves de paso,* 1991)

En un eficaz monólogo dramático, la poeta adopta la voz de Afrodita, mujer y diosa griega, y recuerda una experiencia sensual y erótica con un joven marinero que se acerca a su estatua (¿a su cuerpo?). El poema es experiencia amorosa real y prestigioso marco helénico.

Este modo, ciertamente postmoderno, de enfocar el poema pudo tener un magnífico modelo en *Indicios vehementes* (1985) de Ana Rossetti, la poeta gaditana que escribe, entre otros, el poema «Diótima a su muy aplicado discípulo». La voz narrativa de una mujer ardiente y apasionada —también en un monólogo dramático— nos traslada a un ambiente clásico y pagano, donde la sacerdotisa o vestal Diótima, en un escenario sun-

---

[87] Este poema y una interesante entrevista a María Sanz puede verse en Sharon K. Ugalde, *Conversaciones y poemas,* págs. 201-217.

tuoso de muebles y telas preciosas, evocación de un modernismo exquisito, va invitando a su amante a explorar y disfrutar los más bellos rincones de su cuerpo. El entorno clásico es prestigio culturalista y original recurso de un refinado erotismo, pero la esencia del poema es la experiencia sensual y erótica vivida por una mujer de hoy. La leve alusión al mundo de las vestales o vírgenes consagradas a Vesta, diosa de la virginidad, presta especial intensidad a la experiencia erótica potenciada por el carácter sacro, religioso y ritual de la protagonista.

Conviene señalar un hecho importante. En los dos poemas mencionados se revela la autoconcienciación feminista de dos mujeres postmodernas que proyectan en su escritura una actitud que rompe con las constantes de la tradicional literatura erótica masculina. El cuerpo femenino deja de de ser simple objeto del placer ajeno para convertirse en activo disfrutador de la experiencia erótica. «El punto de vista del texto muestra cómo se supera la tradición de la literatura erótica [masculina], cuya tendencia es la de la objetivación pasiva del cuerpo de la mujer a través de la lente contemplativa del hombre»[88]. Aquí es al revés. La mujer es la fuerza activa que recuerda, alienta, dirige y goza la aventura erótica.

Para apreciar la abundancia y variedad de esta moda helénica en poetas de las dos últimas décadas quiero recordar otro ejemplo, de Leonor Barrón, poeta de Lucena (Córdoba), quien cual una nueva Penélope, en un perfecto monólogo dramático, escribe a Ulises una carta para pedirle —en lenguaje a veces gongorino— que cambie los campos de batalla por los silenciosos encuentros de su «lecho de espuma» y por la patria de sus brazos. El prestigio de la epopeya y de los mitos griegos crea el bello marco para una original expresión de la experiencia amorosa en «Carta a Odiseo»:

> Amor:
> Me duele este amanecer que me descubre
> desnuda de tu presencia.

---

[88] José María Naharro-Calderón, «Cuerpos con duende en la poesía de Ana Rossetti y Mercedes Escolano», *España Contemporánea*, The Ohio State University, VII, otoño de 1994, pág. 87.

> ¿Qué batallas ajenas te entretienen el alma?
> ¿Por qué disputas por una ciudad
> que no es la tuya...?

La ardiente Penélope evoca el momento soñado del reencuentro: «Nuestro lecho se puebla de azucenas.» Para dar expresión a lo cotidiano y a las expectativas más íntimas que convertirán en llama su «lecho de espumas», la poeta se acoge al prestigio de la vieja epopeya y encarna sus sentimientos en el mítico personaje de la *Odisea*.

De modo parecido, el poeta valenciano Carlos Marzal (1961) adopta una moral alejada de excesos, y recomienda virtudes como la moderación, la sensatez, el no dejarse llevar por los valores burgueses, la vida retirada, recordando la clasicista «aurea mediocritas» en «El autor amonesta a un amigo». Predomina en el poema un tono satírico muy horaciano. Con fina ironía va desacralizando la institución del matrimonio y de todos los valores de la sociedad tradicional. El lenguaje sencillo y coloquial mantiene un tono de cierta nobleza y sobrio lirismo.

Los jóvenes poetas, muy a tono con la moda postmoderna, saben reciclar antiguos tópicos e impregnarlos de nueva vitalidad y sentido. Viejos mitos clásicos son reinterpretados para revelar e iluminar rincones oscuros de la psique humana y para ennoblecer, con la hermosura y magia de prestigiosas leyendas, experiencias íntimas que pudieran parecer demasiado vulgares o triviales[89].

Desde que los románticos iniciaron esta moda, el prestigio de venerados maestros —Cavafis[90], Cernuda o Gil-Albert, entre otros— provocó esta fascinación por lo clásico o helénico, que reflejan la poesía de Víctor Botas y los abundantes libros alusivos a temas clásicos *(Ulises* de J. Salvago, *Fábula de Faetonte* de L. Martínez Merlo) o, además de los poemas menciona-

---

[89] Un estudio más completo de este tema puede verse en Juan Cano Ballesta, «Poesía de la experiencia y mitos helénicos», *Ínsula,* 620-621, agosto-septiembre de 1998, págs. 16-18.

[90] La edición de *Poesías completas* de Konstantino Kavafis publicada por José María Álvarez (Madrid, I. Peralta y Ayuso, 1976) contribuyó a la difusión de su obra y de los temas mitológicos griegos entre los jóvenes poetas.

dos, otros muchos como la «Sátira primera (A Rufo)» de
J. Juaristi con su tono horaciano, «Cuerpo de Dafne» de A. Linares, «Ariadna I» de Blanca Andreu, numerosos de E. López
Parada o Aurora Luque, «El destino de Diomedes» de V. Valero, etc.

En todos estos casos tenemos verdadera «poesía de la experiencia», personal y cotidiana, vestida de formas, mitos o motivos clásicos, que realzan su tono o mensaje y le prestan una
original belleza que puede resultar deslumbrante.

Neomodernismo, ironía y pastiche

La poesía postmoderna tiende a volver la mirada a obras
del pasado y halla en los maestros del modernismo y en sus
textos un importante medio de experimentación. Se intenta
resucitar el viejo esplendor modernista, se admira su refinamiento exquisito, pero se le parodia o emplea con humor y
tono zumbón tras décadas de vulgarización que lo han convertido en manoseado tópico. Se disfrutan sus ritmos brillantes y magníficas rimas en un divertido juego de muecas irónicas, en el que el verso rotundo y orquestral se combina a veces con el ripio biensonante.

Mencionaba hace poco el poema «Diótima a su muy aplicado discípulo» de Ana Rossetti, que tiene lugar en una sala
de refinado gusto modernista entre el suntuoso decorado del
«anaranjado visillo primoroso» y la «rayada seda» del sofá oto-
mano. En un sentido más literario, Carlos Marzal, en «Media
verónica para don Manuel Machado», rinde homenaje al gran
poeta sevillano adoptando un lenguaje de términos taurinos
y tono andaluz en ricos versos alejandrinos, pareados con
rima consonante, de gran maestría y sonoridad. Algo parecido cabría decir de Javier Salvago en «Variaciones sobre un
tema de Manuel Machado», en el que el poeta de hoy se acerca al modernista sevillano para ofrecer una ingeniosa caricatura de la poesía novísima y tal vez de la de algún otro contem-
poráneo. También Luis García Montero en «Nocturno» recurre
a la sonoridad del viejo alejandrino con su rima consonante en
pareados, pero lo que canta es la vida postmoderna de motos,

semáforos, minifaldas de cuero y profusión de luces de neón en barrios de animado trasnocheo. Otras veces, el poeta granadino sigue la huella de Rubén Darío, comentarista lírico del cancionero del siglo XV, y compone unas coplas al estilo de Jorge Manrique cargadas de ácido humor y crítica de la cultura popular postmoderna. La veneración por el viejo estilo de fines del XIX en sus ritmos orquestrales y vocabulario suntuoso se impregna del tono lúdico e irónico de quienes lo contemplan desde una escéptica lejanía estética.

El juego irónico impregna numerosos textos de estas décadas y halla mil formas diferentes de disfraz. La cita paródica, el pastiche o la alusión irónica, que con un guiño busca el asentimiento de un lector cómplice, son recursos comunes en poetas como Javier Salvago, Jon Juaristi o Luis García Montero. Recordemos de éste la «Égloga de los dos rascacielos» («Lamentaban dos dulces rascacielos») como ecos de Garcilaso en las quejas de Salicio y Nemoroso, o su *Rimado de ciudad* con la inevitable evocación de *El rimado de palacio* del canciller Pero López de Ayala, o las «Coplas a la muerte de su colega», a que antes aludía. En la misma línea hay que situar a Javier Salvago, que recuerda con gesto irónico la conocida obra de Vicente Aleixandre en el mismo título de su libro *La destrucción o el humor,* o a Jon Juaristi, que manipula lúdicamente el título de la conocida obra juanramoniana en su *Diario del poeta recién cansado* y recurre al pastiche lorquiano en el poema «La casada infiel»[91]. Son maneras de subvertir irónicamente los valores y el prestigio de una determinada tradición literaria y la misma idealidad romántica, que aún vibra en algunos de los títulos parodiados.

La vieja vida bohemia, que cultivaban poetas y artistas modernistas y expresaban patéticamente en su obra, sirvió sin duda de inspiración, tal vez muy marginal, a poetas recientes. La frecuente evocación de la vida nocturna en bares y discotecas, convertida en el tópico más mencionado por los adversarios de la llamada *poesía de la experiencia,* arranca de poetas fi-

---

[91] El fenómeno ha sido observado por J. L. García Martín, *La generación de los ochenta,* págs. 23-24, y por Antonio Jiménez Millán, «Un engaño menor», en M. Di Pinto y G. Calabrò, *La Poesia Spagnola Oggi,* págs. 50-51.

niseculares, si bien adquiere tonos y matices de gran originalidad.

Felipe Benítez Reyes se revela en sus primeros años (sobre todo en *Los vanos mundos)* como poeta sensible al embrujo de viejas escuelas como el modernismo, del cual se perciben ecos en el verso largo de sabor modernista, en la musicalidad, el vocabulario y los motivos. Parece como si la corriente bohemia hubiera enseñado a estos poetas el embrujo de las experiencias de la noche («el fango celeste de la vida nocturna») por bares y tabernas hasta el amanecer, tan viejas y tan postmodernas, que tanto han fascinado a muchos jóvenes poetas.

Algo parecido cabría decir de poetas como José A. Mesa Toré, quien en *El amigo imaginario* arranca de la poesía bohemia y decadente de fines del XIX («Bohemia» se llama un poema), merodeando por bares y callejas entre faroles viejos y «luz de melancolía», sin dejar de evocar los grandes tópicos de la bohemia, aunque remozados con un nuevo tono y abundantes toques de actualidad. O Javier Salvago, quien nos recuerda en el tono y el sabor popular a Bécquer y a Antonio Machado, y nos hace sentir a veces ecos del decadentismo de finales del siglo XIX, como el propio poeta confiesa.

El simbolismo y el impresionismo finiseculares reciben nueva vida y matices nuevos en poetas como Amparo Amorós, en su fina captación impresionista de luces y colores, Javier Salvago, Andrés Trapiello, Juan Manuel Bonet y Alvaro García, entre otros. Jaime Siles nota cómo el Manuel Machado de «El mal poema» tiene resonancias en Felipe Benítez Reyes, Miguel d'Ors y Carlos Marzal, mientras que otros postmodernistas (R. López Velarde, L. Lugones, Tomás Morales, Agustín de Foxá, y otros) y el Juan Ramón Jiménez simbolista se dejan oír en Juan Manuel Bonet. Este hecho

> explica uno de los rasgos distintivos del discurso que, en los años 80 y como noción casi dominante, se instaura: fundir impresionismo y simbolismo: «Hacer con impresiones pasajeras, un poema. Un poema cuya forma, precisa e imprecisa a un tiempo» —y son palabras de Juan Manuel Bonet— «esté al servicio de la impresión fugitiva, del tiempo que huyó»[92].

---

[92] Jaime Siles, «Dinámica poética...», págs. 158-159.

Blanca Andreu recibió en 1980 el Premio Adonais por su primer libro *De una niña de provincias que se vino a vivir en un Chagall*, que despertó una oleada de fervor surrealista e irracionalidad en la creación poética de muchos jóvenes. Benjamín Prado llega a afirmar que este libro «cambió radicalmente la dirección de la poesía española»[93]. Tal juicio resulta excesivo, pero es cierto que puso de moda la escritura surrealista y demostró cómo existe un amplio público lector de poesía cuando ésta sabe sintonizar con los gustos y sentimientos de su generación. El libro de Blanca Andreu tuvo cuatro ediciones en cuatro años. El surrealismo, aunque adoptado y cultivado por varios poetas *novísimos*, había pasado a un segundo plano. Pero fue la desbordada imaginación surrealista de Andreu y la sintonización con los gustos y experiencias de sus coetáneos lo que produjo el milagro:

> No sólo sus poemas aparecen plagados de marihuana, cicuta, cianuro, anfetaminas y el caballo mitológico simbólico de la heroína, que da impulsos vitales y otorga la muerte, sino que todo el mundo poético de *De una niña de provincias*... está inmerso en el mundo de la droga, influido de principio a fin por la visión alucinatoria que ese mundo otorga. Creo que es ahí donde ha de buscarse la base de su lenguaje surrealista, en la visión alucinatoria, en la imaginación visionaria que otorga el mundo de la droga; un lenguaje y una visión que se adecuan perfectamente al mundo que se incorpora al poema.

El libro de Andreu se convirtió en «un revulsivo radical para la joven poesía española» y logró un éxito semejante al de *Arde el mar* de Gimferrer en su día[94]. Significaba además

---

[93] Benjamín Prado, «Poesía última: los dulces ochentas», *El Urogallo, Revista literaria y cultural*, 12, abril de 1987, pág. 25.

[94] Juan José Lanz, «La poesía de Blanca Andreu», *Zurgai*, Bilbao, julio de 1997, págs. 72-74.

dos cosas: a) la vuelta del «yo con todas sus ínfulas, tras larga temporada de destierro»[95], y b) el renacer de un sentimiento neorromántico, hacia el que se orientaban varias corrientes líricas del momento.

El neosurrealismo de Blanca Andreu fue dejando toda una estela de poesía de este signo. Surgieron, sobre todo, mujeres poetas, como Luisa Castro, con su verso largo cargado de sentimiento y metáforas sorprendentes; Amalia Iglesias, con poesía de tono intimista y neorromántico en versículos de marcada musicalidad; Concha García, con la subversión del lenguaje que practica en rupturas sintácticas, imágenes chocantes y neologismos; Almudena Guzmán, con poesía erótica en un estilo ingenuo y novedoso que recurre a lo cotidiano y coloquial, de tono confesional, en versículo libre y con gran osadía de imágenes que la aproximan al surrealismo.

Hay también toda una serie de poetas que pueden considerarse dentro de las claves de un irracionalismo más o menos surrealista, tan común en los ochenta: Luis Miguel Rabanal, César Antonio Molina, José Carlón, Juan Carlos Mestre, Fernando Bertrán, con su visión onírica de la gran ciudad en *Aquelarre en Madrid* (1983), y Ángel Muñoz Petisme, cuyo versículo, abundante en desplantes verbales, recuerda a veces las letras del *rock* y el *spot* publicitario. No en vano el Premio Adonais, depués de otorgado a Blanca Andreu, fue recayendo año tras año en obras semejantes fortaleciendo y confirmando este resurgir neosurrealista de los años ochenta. No obstante, como han notado varios críticos, resulta difícil identificar la auténtica poesía ante el hecho, observado por García Martín, de que el recurso a las formas surrealistas podría ser un simple disfraz de la inmadurez y convertirse en

> salvoconducto con el que se intentan disimular las torpezas sintácticas, la imprecisión del vocabulario, la falta de sentido estructural (los poemas pueden comenzar y acabar por cualquier parte)[96].

[95] Ramón Buenaventura, *Las Diosas Blancas*, pág. 160.
[96] J. L. García Martín, *La generación de los ochenta*, pág. 26.

Facetas decisivas de la poesía social, ya lejana, no dejan de resonar en poetas que rechazan el esteticismo o para quienes enfrentarse a la realidad presente resulta un imperativo insoslayable. Ramón Buenaventura recurre a una retórica de la rebeldía y la ruptura pidiendo una «poesía de francotiradores», lejos de las «miniadas decadencias venecianas» y de los «bellísimos poetas» (léase *novísimos),* y parece invitarlos a la lucha callejera cuando en el año del golpe de Tejero (1981) entona versos de resonancias albertianas:

> Poetas,
>> a la calle:
>>> anegad el poder,
>> danzad las dictaduras,
>> brincad los apellidos,
>> pecad contra el dinero;
>>> delinquid,
>> que el que no es delincuente no es poeta.
>> Poetas, por favor, cread el mundo[97].

Ésta es todavía una poesía demasiado ligada a viejas recetas de los años cincuenta. Pero hay otros poetas que revelan una sensibilidad más nueva y matizada. Jenaro Talens se enfrenta con aquellos que defienden un arte inactual, intemporal y evasivo, y pide una poesía enraizada en su lugar y momento. La perspectiva del poeta debe ser local, temporal y circunstancial, y en último término, histórica: «escribir *es escribir desde alguien, desde algún lugar»,* dice Talens en 1981 desafiando modas venecianas y neoclasicistas[98].

Incluso alguno de los *novísimos,* como Guillermo Carnero, considera que una vez que la poesía, con sus grandes aportaciones, ha superado su período inicial de rechazo parricida,

---

[97] Pedro Provencio, *Poéticas españolas...,* págs. 49 y 45.
[98] Pedro Provencio, *Poéticas españolas...,* pág. 170.

debe dedicarse a crear «una poesía de gran alcance» restaurando elementos menospreciados por poetas anteriores, como «una humanización más directa e inmediata del poema, un reasumir del "compromiso" a un nivel que no anule la expresión»[99]. El panorama lírico va experimentando profundos cambios.

L. García Montero, con los poetas de «la otra sentimentalidad», abre nuevos horizontes a una poesía más solidaria cuando señala «lo enormemente perecedero de una creatividad que se obstina en no ver lo que tiene alrededor» y pide una «sentimentalidad distinta con que abordar la vida»:

> Como decía Machado, es imposible que exista una poesía nueva sin que exprese definitivamente una nueva moral, ya sin provisionalidad ninguna. Y no importa que los poemas sean de tema político, personal o erótico, si la política, la subjetividad o el erotismo se piensan de forma diferente[100].

Así se va afirmando una conciencia de la colectividad en el sentido más amplio, sin excluir lo social y lo político, pero no centrada en ello. Machado, Alberti, Cernuda, Gil de Biedma, Ángel González o Francisco Brines son para ellos maestros muy admirados, pero su tema es la vida postmoderna en su gran riqueza de escenarios.

También surgen auténticos poetas cívicos como Jon Juaristi en el ambiente crispado y tenso del terrorismo etarra; Jorge Riechmann, que reflexiona sobre su mundo con mirada severamente crítica, antibelicista y desencantada cuando no escribe poemas de amor de gran originalidad, o Roger Wolfe, que cultiva un realismo crudo y sórdido, de droga, alcohol, angustia, miedo y caos, en un lenguaje desaseado y tosco, pero de gran fuerza expresiva. Estos poetas y varios de los que siguen podrían responder en parte a una sensibilidad próxima al llamado «realismo sucio», el «dirty realism» de ciertos escritores norteamericanos, heridos por el desencanto y la desesperanza

---

[99] Guillermo Carnero, en Concepción G. Moral y Rosa María Pereda, *Joven poesía española*, Madrid, Cátedra, 1980, pág. 308.
[100] L. García Montero, *Confesiones poéticas*, págs. 174, 188.

de una sociedad poseída por el consumismo. Son escritores que hacen «relatos escuetos, desnudos, descarnados, paisajes espectrales habitados por personas solitarias, por gentes sin pasado ni futuro cuya vida se reduce únicamente a sobrevivir del mejor modo posible en una sociedad que las condena de antemano a la incomunicación y el anonimato y en un mundo del que todo idealismo ya ha sido desterrado»[101]. También Juan Carlos Suñén en *Un hombre no debe ser recordado* (1992) escribe una poesía que es reflexión sobre la guerra, los impuestos, victorias o rendiciones, en que ilumina, en sus propias palabras, «la fuerza transgresora, irónica y solidaria de la poesía».

A veces libros o revistas locales dan fe de vida de otros movimientos o núcleos de creadores que quieren hacerse oír desde los puntos más diversos del país. Como ejemplo cito *Voces del Extremo,* que desde Huelva nos presenta una poesía urbana, próxima a la realidad y desencantada, de poetas que son la voz del hombre de la calle, el trabajador, el marginado, el preso, una enfermera, etc.:

> El carácter narrativo y coloquial de su poesía, la elocuencia impúdica, la ironía como fórmula de arbitraje entre la realidad y el sujeto poético, la confesionalidad implícita, whitmaniana, el situacionismo social y político, son algunas de las características que conforman el universo poético de esta nueva sensibilidad[102].

Esta poesía prodiga gestos de provocación y rebeldía o reacciona contra el «buen gusto» establecido como «resisten-

---

[101] Julio Llamazares, «Dirty realism», *En Babia,* Barcelona, Seix Barral, 1991, pág. 26.
[102] Uberto Stabile, «El Paisaje Urbano en la Poesía Onubense Contemporánea», *Voces del Extremo,* Huelva, Fundación Juan Ramón Jiménez, 1999, pág. 39. En esta obra se nos da a conocer una poesía social y rebelde que cultivan poetas como Antonio de Padua Díaz, Diego J. González, Francis Vaz, Manuel Moya, Eladio Orta, Eva Vaz, Santiago Aguaded Landero, Isla Correyero, Isabel Pérez Montalbán, Mada Alderete Vicent, David González, María Gómez, Juan Carlos Reche, Jorge Riechmann, María Eloy García, Uberto Stabile, Salustiano Martín González, Daniel Macías Díaz, Antonio Rodríguez Caballero, Enrique Falcón, Vicente Muñoz Álvarez, Pepe Camacho, Luis Felipe Comendador, Fernando Beltrán, Álvaro Moreno Marquina, David Méndez García.

cia frente al pensamiento único y dominante». Se trata de un verso que responde a propuestas teóricas como la «poesía practicable» de Jorge Riechmann, la «poesía entrometida» de Fernando Beltrán, «Poesía y poder» del colectivo «Alicia Bajo Cero», etc.[103]

También la llamada nueva poesía épica busca contactos —a otro nivel— con lo más auténtico y hondo de la comunidad humana al cultivar los sentimientos de la colectividad, evocar una edad dorada de lejanos espacios míticos o fabular sobre un mundo heroico de guerreros y santos. Julio Llamazares intenta rescatar una memoria común, una ancestral sabiduría, «la brumosa evocación de una edad de oro situada, al margen de la historia, en sus natales montañas leonesas»[104]. En *La lentitud de los bueyes* (1979) y *Memoria de la nieve* (1982) ofrece una vivencia mítica del paisaje envuelto en una especial nostalgia que tamiza el plano visual de las imágenes: «En el principio fue el silencio de las jaras encendidas, los pórticos de agua, y los racimos de dátiles amargos.»

Julio Martínez Mesanza se acerca más al concepto tradicional de épica al cantar, en versos de gran calidad y justeza, héroes, santos y guerreros, pero desde la lucidez del poeta postmoderno que, superadas las ideologías, observa los hechos desde perspectivas múltiples evocando también al traidor, a la víctima y al verdugo.

Otras voces se expresan en un tono de resonancias épicas, como Luis Martínez de Merlo, quien, en *El trueno, la mente perfecta* (1983-1993), reinterpreta viejos cantares tradicionales: la madre junto al fuego, la muchacha que va a la fuente, el canto de la calle o plaza pública. Trata de dar vida a «las canciones de los hombres», sea el príncipe, el beodo o el enamorado de la joven muchacha, a la que recuerda que «el nardo» de sus mejillas no logrará «prevalecer contra el tiempo» (70). Con un lenguaje nuevo y de gran sonoridad reinterpreta la canción de «la joven espigadora», de los obreros, del condenado, del pordiosero o del joven vencedor (76-78), en un largo poema lleno de armonía y sorpresas y muy consciente del vivir solidario.

---

[103] U. Stabile, «El Paisaje Urbano...», pág. 41.
[104] L. García Martín, *La generación de los ochenta*, pág. 27.

Pero si por algo se singulariza la poesía de las últimas décadas es por su pluralismo y diversidad. Como observaba José Olivio Jiménez, en las páginas de una revista literaria de estos años se pueden leer perfectos sonetos clásicos junto a poemas de extremo carácter experimental, un texto hermético junto a otro en lenguaje coloquial, «un mini-poema esencialista al lado de una extensa composición anecdótica y seminarrativa». Por otra parte, se aceptan con gusto modas del pasado, se reciclan (casi siempre desde una perspectiva irónica o escéptica) materiales expresivos del modernismo, de la vanguardia y el surrealismo, como ya hicieron los *novísimos*[105]. Pero lo que más se oye es la voz del propio poeta que sabe evocar ambientes refinados, decadentes y exquisitos, enriqueciendo con nuevos tonos y matices ambientes del reciente fin de siglo, como vemos en García Montero, Rossetti, L. A. de Villena y otros muchos.

Voy a concluir con otra observación que resulta curiosa y que cierra el ciclo de varias décadas de aventuras por países y literaturas lejanas y de fascinación por todo lo extraño y exótico. Estos poetas de las últimas décadas —aunque también en ello habrá excepciones— vuelven a apreciar los valores poéticos nacionales en contraposición al gusto por todo lo extranjero que advertía Castellet en los poetas *novísimos*, acostumbrados a viajar a países remotos: el Hollywood de Pere Gimferrer en *La muerte en Beverly Hills,* la Italia de Antonio Colinas en *Sepulcro en Tarquinia,* la Inglaterra, Francia e Italia de palacios, jardines y estatuas de Guillermo Carnero y los países árabes y orientales de Luis Antonio de Villena, etc. La joven poesía, riquísima en sus escenarios y abierta a modas y culturas incluso lejanas, no desprecia la tradición literaria española y encuentra a algunos de sus poetas más admirados en Cernuda, Gil-Albert, Biedma, Brines, González, voces próximas a nosotros y a las experiencias de nuestro entorno vital.

Podríamos decir que la poesía de los últimos quince años muestra como rasgo más visible el triunfo del individualismo y un canto a la realidad cotidiana, que irrumpe en la obra de

---

[105] José O. Jiménez, «Fifty years of Contemporary Spanish Poetry (1939-1989)», *Studies in 20th Century Literature,* 16, invierno de 1992, pág. 36.

arte con los signos de la vida de ciudad: «letreros luminosos, arquitecturas urbanas, diseño de automóviles, modas de vestidos, maquillaje, se convierten en los nuevos *topoi* de esta poesía urbana», que resultan elevados a «la categoría de objetos estéticos»[106]. La lírica actual ha superado los ideales *novísimos* y cultiva muchas cosas que aquéllos menospreciaban: la celebración de lo cotidiano, la narratividad, el recurso a la anécdota, la evocación de un mundo común y trivial, los sentimientos personales y un culturalismo mitigado y al servicio de la experiencia personal del poeta. Pero conviene recordar que disfruta de una gran variedad de tendencias, como la poesía cívica, de la intrahistoria, la del realismo sucio, la tendencia intelectualista o *metafísica* que reivindica Antonio Ortega en *La prueba del nueve*, y varias otras dignas de mención.

La poesía reciente aparece abierta a horizontes sin límite, no aborrece lo inmediato y cercano, evita el preciosismo y no rehúye el lenguaje coloquial y sórdido, aunque también puede usar el elevado, elegante y selecto, volviendo al prestigio de viejos maestros como Quevedo, Neruda, Hernández o los Machado. No nos extrañe que la lírica de nuestros días esté alcanzando un nivel de calidad, riqueza y autenticidad que sorprende a todo aquel que se detiene a estudiarla y analizarla.

---

[106] Claude Le Bigot, «Janus polycéphale ou le discours postmoderne de la poésie espagnole contemporaine», *Postmodernité et écriture narrative dans l'Espagne contemporaine,* Grenoble, Cerhius, 1996, pág. 304.

Esta edición

Esta antología quiere recoger en sus páginas a los poetas más notables que han ido surgiendo en las letras españolas en los últimos cuatro lustros y que han alcanzado un cierto grado de madurez y reconocimiento en el mundo de las letras. Debe ser una continuación del volumen *Joven poesía española* que publicaron en 1980 Concepción G. Moral y María Rosa Pereda, y, por tanto, incluirá sólo nombres no antologados allí. En ella acogemos a poetas que por su obra total (no por aciertos parciales), por su vigor renovador y por la calidad de su producción puedan considerarse como la voz de las últimas generaciones. Todos nacieron en la segunda mitad del siglo XX y la mayoría vivió parte de sus estudios en ambientes aireados por los presagios de libertad o por el cambio político. Todos publicaron su obra más decisiva en un ambiente social y cultural de libertades democráticas y libres de las presiones de la censura oficial.

Queremos ofrecer un panorama que, a su vez, señale e ilustre las diversas corrientes y tendencias que enriquecen la producción poética tras la ruptura causada por los *novísimos* y la floración lírica que la siguió. Tras abundantes lecturas, una amplia documentación y un cuidadoso análisis crítico, intento arrojar más luz sobre el sentido del gran número de escuelas y movimientos que han venido surgiendo, y orientar al lector, en la medida de lo posible, desvelando las líneas de desarrollo que parecen detectarse en la vasta producción poética de los últimos años. Será una manera de tomar el pulso lírico a la España de las últimas décadas en poetas que escriben sin los condicionantes que pesaban sobre la poesía social o incluso —indirectamente— sobre la poesía de los *novísimos,* demasiado marcadas por una situación estética y política de horizontes limitados y diferente de la que hoy condiciona a nuestros poetas.

Esta antología trata de dar una idea de la inmensa riqueza lírica de las últimas décadas y, al mismo tiempo —en poemas de calidad, bien construidos y memorables—, mostrar la variedad de tendencias y movimientos poéticos que los nuevos tiempos han traído. Por su actualidad y novedad deben ser una invitación a la lectura. Un gran público de estudiantes, profesionales, artistas y lectores cultos, merecen una antología que les permita tener acceso cómodo a lo más granado y renovador que ha producido la poesía en los últimos años.

Bibliografía

AMORÓS MOLTÓ, Amparo, «La retórica del silencio», *Los Cuadernos del Norte,* Oviedo, 16 de noviembre de 1982, 18-27.
— *La palabra del silencio. La función del silencio en la poesía española a partir de 1969,* Madrid, Editorial de la Universidad Complutense, 1991.
BALLART, Pere, «Gabriel Ferrater y la poesía de la experiencia», *Ínsula,* Madrid, 523-524, julio-agosto de 1990, 41-42.
BENEGAS, Noni y MUNÁRRIZ, Jesús, *Ellas tienen la palabra. Dos décadas de poesía española,* Madrid, Hiperión, 1997.
BENÍTEZ REYES, Felipe, *Poesía (1979-1987),* prólogo de L. García Montero, Madrid, Hiperión, 1992.
BLAKE, William, *Songs of Innocence and Experience,* ed. Andrew Lincoln, Princeton University Press, 1991.
BUENAVENTURA, Ramón, *Las Diosas Blancas. Antología de la joven poesía española escrita por mujeres,* Madrid, Hiperión, 1985.
CALINESCU, Matei, *Five Faces of Modernity,* Durham, Duke University Press, 1995.
CALLES, Juan María, «Una nueva sentimentalidad en la poesía española contemporánea», *España Contemporánea,* IV, primavera de 1991, 85-96.
CALVO SERRALLER, Francisco, *Enciclopedia del arte español del siglo XX,* Madrid, Mondadori, 1992.
CANO BALLESTA, Juan, «Poesía de la experiencia y mitos helénicos», *Ínsula,* Madrid, 620-621, agosto-septiembre de 1995, 16-18.
CAÑAS, Dionisio, «El sujeto poético posmoderno», *Ínsula,* Madrid, 512-513, agosto-septiembre de 1989, 53.

CARNERO, Guillermo, «La corte de los poetas: los últimos veinte años de poesía española en castellano», *Revista de Occidente,* Madrid, 23, abril de 1983, 43-59.

— *«El apetito* de Luis Muñoz», *La Razón,* 19, 14 de marzo de 1999, 12.

CASTAÑO, Francisco, *«Arte de marear,* de Jon Juaristi», *Ínsula,* Madrid, 517, enero de 1990, 17-18.

CASTELLET, José María, *Nueve novísimos poetas españoles,* Barcelona, Barral, 1970.

CIPLIJAUSKAITÉ, Biruté (ed.), *Novísimos, Postnovísimos. Clásicos. La Poesía de los 80 en España,* Madrid, Orígenes, 1990.

CUENCA, Luis Alberto de, *Etcétera (1990-1992),* Sevilla, Renacimiento, 1993.

DADSON, Trevor J., «El otro, el mismo: reflexiones sobre *Europa* de Julio Martínez Mesanza», en Trevor J. Dadson, *Ludismo e intertextualidad en la lírica española moderna,* 79-101.

DADSON, Trevor J. y DEREK, W. Flitter, *Ludismo e intertextualidad en la lírica española moderna,* Birmingham, University Press, 1998.

DEBICKI, Andrew P., *Historia de la poesía española del siglo XX. Desde la modernidad hasta el presente,* Madrid, Gredos, 1997.

DI PINTO, M. y CALABRÒ, G., *La Poesia Spagnola Oggi: Una Generazione dopo l'altra,* Nápoles, Vittorio Pironti Editore, 1995.

DÍAZ DE CASTRO, Francisco J., «Carlos Marzal: Nocturnidad y alevosía», *Zurgai,* Bilbao, julio de 1997, 26-30.

D'ORS, Miguel, *En busca del público perdido. Aproximación a la última poesía española joven (1975-1993),* Granada, Impredisur, 1994.

«Encuesta a poetas, críticos y editores», *Ínsula,* Madrid, 565, enero de 1994, 11-21.

FUSI, Juan Pablo, «La cultura de la transición», *Revista de Occidente,* 122-123, julio-agosto de 1991, 37-64.

GARCÍA DE LA CONCHA, Víctor, «Hermosos versos de caducada rima: *El mismo libro,* de Andrés Trapiello», *Ínsula,* Madrid, 522, junio de 1990, 29-31.

GARCÍA MARTÍN, José Luis, «Nuevo viaje del Parnaso o la sucesión de los novísimos», *Camp de l'Arpa,* 86, abril de 1981, 43-49.

— *La generación de los ochenta,* Valencia, Consorci d'Editors Valencians, 1988.

— «La versatilidad de Vicente Gallego», *El Ciervo,* 460, junio de 1989, 38.

— «La poesía», en Darío Villanueva *et al., Los nuevos nombres: 1975-1990,* en Francisco Rico, *Historia y crítica de la literatura española,* vol. 9, Barcelona, Crítica, 1992, 94-248.

— *La poesía figurativa. Crónica parcial de quince años de poesía española,* Sevilla, Renacimiento, 1992.

— *La generación del 99,* Oviedo, Ediciones Nobel, 1999.

GARCÍA MONTERO, Luis, *Confesiones poéticas,* Granada, Excma. Diputación Provincial, 1993.

— «Una musa vestida con vaqueros», *Ínsula,* Madrid, 565, enero de 1994, 24-25.

GARCÍA-POSADA, Miguel, *La nueva poesía 1975-1992,* Barcelona, Crítica, 1996.

GIL DE BIEDMA, Jaime, *El pie de la letra. Ensayos completos,* Barcelona, Crítica, 1994.

GIMFERRER, Pedro, *Antología de la poesía modernista,* Barcelona, Barral, 1969.

GONZÁLEZ, Ángel, «Poesía española contemporánea», *Los Cuadernos del Norte,* 3, agosto-septiembre de 1980.

HARDCASTLE, Anne, *Writing on the Edge: Fantasy and the Fantastic in the Fiction of Contemporary Spanish Women Authors,* Tesis doctoral, Charlottesville, University of Virginia, 1999.

HUTCHEON, Linda, *A Poetics of Postmodernism. History, Theory, Fiction,* Nueva York y Londres, Routledge, 1988.

JIMÉNEZ, José Olivio, «Fifty years of Contemporary Spanish Poetry», *Studies in 20th Century Literature (Contemporary Spanish Poetry),* vol. 16, invierno de 1992.

JIMÉNEZ MILLÁN, Antonio, «Un engaño menor. Las generaciones literarias», en M. Di Pinto y G. Calabrò, *La Poesia Spagnola Oggi,* 33-60.

JONGH, Elena de, *Florilegium. Poesía última española,* Madrid, Espasa-Calpe, 1982.

— «Hacia una estética "postnovísima": neoculturalismo, metapoesía e intimismo», *Hispania,* 74, diciembre de 1991.

JUARISTI, Jon, *Sermo humilis (Poesía y poéticas),* Granada, Diputación, 1999.

LAMILLAR, Juan, «El don de la ironía en la poesía de Javier Salvago», *Cuadernos del Sur,* 15 de febrero de 1990, 29.

LANGBAUM, Robert, *The Poetry of Experience. The Dramatic Monologue in Modern Literary Tradition,* Nueva York, W. W. Norton y Co., 1963.

— *La poesía de la experiencia. El monólogo dramático en la tradición literaria moderna*, Granada, Comares, 1996.

LANZ, Juan José, «Carlos Marzal», *El Urogallo*, 64-65, septiembre-octubre de 1991, pág. 96.

— «Primera etapa de una generación. Notas para la definición de un espacio poético, 1977-1982», *Ínsula*, 565, enero de 1994, 3-6.

— «La joven poesía española al fin del milenio. Hacia una poética de la postmodernidad», *Letras de Deusto*, 66, enero-marzo de 1995, 173-206.

— «La poesía española: ¿hacia un nuevo romanticismo?», *El Urogallo*, Madrid, 6 de mayo de 1997, 36-45.

— «La poesía de Blanca Andreu», *Zurgai*, Bilbao, julio de 1997, 72-76.

— «La joven poesía española. Notas para una periodización», *Hispanic Review*, 66, 1998, 261-287.

LE BIGOT, Claude, «Janus polycéphale ou le discours postmoderne de la poésie espagnole contemporaine», *Postmodernité et écriture narrative dans l'Espagne contemporaine*, Grenoble, Cerhius, 1996.

LENTZEN, Manfred, «Lyrische Kleinformen. Zum Haiku und zu Haikuähnlichen Texten in der modernen spanischen Dichtung», *Iberoromania*, Tübingen, 45, 1997, 67-80.

LLAMAZARES, Julio, *La lentitud de los bueyes. Memoria de la nieve*, Madrid, Hiperión, 1988.

— «Dirty realism», *En Babia*, Barcelona, Seix Barral, 1991.

LÓPEZ, Ignacio Javier, «Persistencia de la estética "novísima": *Divisibilidad indefinida* (1979-1989)», en Nicasio Salvador Miguel (ed.), *Letras de la España contemporánea. Homenaje a José Luis Varela*, Alcalá de Henares, Centro de Estudios Cervantinos, 1995.

— «Introducción» a Guillermo Carnero, *Dibujo de la muerte. Obra poética*, Madrid, Cátedra, 1998.

LÓPEZ PARADA, Esperanza, «Poesía joven, poesía del afuera, poesía oculta», *Ínsula*, Madrid, 565, enero de 1994, 9-11.

MAINER, José-Carlos, «Poesía lírica, placer privado», *De postguerra (1951-1990)*, Barcelona, Grijalbo-Mondadori, 1994.

MANENT, Marià, «Andrés Trapiello y Emily Dickinson», en VV. AA., *Andrés Trapiello*, Madrid, Calambur, 1993.

MARTÍNEZ, José Enrique, *Antología de poesía española (1975-1995)*, Madrid, Castalia, 1997.

Martínez de Merlo, Luis, *El trueno, la mente perfecta (1983-1993),* Madrid, Hiperión, 1996.

Mayhew, Jonathan, *The Poetics of Selfconsciousness. Twentieth-Century Spanish Poetry,* Lewisburg, Bucknell University Press, 1994.

Molina Campos, Enrique, «Los poetas de "Silene" y la poesía de José Gutiérrez», *Cal,* Sevilla, 33-34, mayo-julio de 1979, 32-35.

— «La poesía de la experiencia y su tradición», *Hora de Poesía,* 59-60, septiembre-diciembre de 1988, 41-47.

Moral, Concepción G. y Pereda, Rosa María, *Joven poesía española. Antología,* Madrid, Cátedra, 1980.

Muñoz, Luis, «Un nuevo simbolismo», *Clarín,* 18, noviembre-diciembre de 1998, 18-24.

Naharro-Calderón, José María, «Cuerpos con duende en la poesía de Ana Rossetti y Mercedes Escolano», *España Contemporánea, Revista de Literatura y Cultura,* The Ohio State University, tomo VII, otoño de 1994, 83-95.

Ortega, Antonio, *La prueba del nueve (Antología poética),* Madrid, Cátedra, 1994.

— «Entre el hilo y la madeja: Apuntes sobre poesía española actual», *Zurgai,* Bilbao, julio de 1997, 42-50.

Parreño, José María, «Mi generación vista desde dentro (Algunas indiscreciones sobre la poesía española actual)», *Revista de Occidente,* Madrid, 143, abril de 1993, 131-142.

Prado, Benjamín, «Poesía última: Los dulces ochentas», *El Urogallo, Revista literaria y cultural,* 12, abril de 1987, 22-30.

Provencio, Pedro, *Poéticas españolas contemporáneas. La generación del 70,* Madrid, Hiperión, 1988.

R. de la Flor, Fernando, «Neo-neo-clasicismo en la poesía española última», *Los Cuadernos del Norte,* Oviedo, 20 de julio, 1983, 61-65.

Sabadell Nieto, Juana, *Fragmentos de sentido. La identidad transgresora de Jaime Gil de Biedma,* Barcelona, Promociones y Publicaciones Universitarias, 1997.

Sánchez Zamarreño, Antonio, «Claves de la actual rehumanización poética», *Ínsula,* Madrid, 512-513, agosto-septiembre de 1989, 59-60.

Siles, Jaime, «Los *novísimos:* la tradición como ruptura, la ruptura como tradición», *Ínsula,* Madrid, 505, enero de 1989.

— «Ultimísima poesía española escrita en castellano: rasgos distintivos de un discurso en proceso y ensayo de una posible sistematización», en B. Ciplijauskaité, *Novísimos, Postnovísimos,* 141-167.

— «Dinámica poética de la última década», *Revista de Occidente,* 122-123, julio-agosto de 1991, 149-169.

— «La poesía primera de Juan Carlos Suñén», *Turia, Revista Cultural,* Teruel, 6, 1992, 35-43.

SUÑÉN, Juan Carlos, «Lo difícil y el bien», *Ínsula,* Madrid, 565, enero de 1994, 33-36.

TALENS, Jenaro, «La coartada metapoética», *Ínsula,* Madrid, 512-513, agosto-septiembre de 1989, 55-57.

UGALDE, Sharon Keefe, *Conversaciones y poemas. La nueva poesía femenina española en castellano,* Madrid, Siglo XXI de España, 1991.

El último tercio del siglo (1968-1998). Antología consultada de la poesía española, Madrid, Visor, 1999.

VALVERDE, Álvaro, *Ensayando círculos,* Barcelona, Tusquets, 1995.

VILLANUEVA, Darío *et al., Los nuevos nombres: 1975-1990,* en Francisco Rico, *Historia y crítica de la literatura española,* vol. 9, Barcelona, Crítica, 1992.

VILLENA, Luis Antonio de, *Postnovísimos,* Madrid, Visor, 1986.

— *Fin de Siglo (El sesgo clásico en la última poesía española). Antología,* Madrid, Visor, 1992.

— *10 menos 30: la ruptura interior en la «poesía de la experiencia»,* Valencia, Pre-Textos, 1997.

Voces del Extremo (las voces de la poesía española al otro extremo de la centuria), coord. Antonio Orihuela, Huelva, Fundación Juan Ramón Jiménez, 1999.

WILCOX, John C., *Women Poets of Spain, 1860-1990. Toward a Gynocentric Vision,* Urbana y Chicago, University of Illinois Press, 1997.

Poesía española reciente
(1980-2000)

Ana Rossetti

(San Fernando, Cádiz, 1950)

La sorprendente floración de mujeres poetas durante las últimas décadas, refrendada por las más recientes antologías, ha revelado figuras innovadoras que logran replantear desde perspectivas de gran frescura y originalidad los viejos tópicos del amor y el sexo, entre otros. Abre la brecha Ana Rossetti, una de las poetas más celebradas, que desde los primeros años ochenta logra reconocimiento y prestigio por un lenguaje poético único y una manera muy personal de expresar sus sentimientos en torno al amor, el placer sexual, el erotismo, la mujer, etc. Se da a conocer con *Los devaneos de Erato* (1980), en que cultiva un preciosismo entre barroco y modernista, y va descubriendo su gran tema en el simbolismo erótico de flores (gladiolos, tulipanes, lirios), objetos religiosos, figuras míticas, del santoral, de la literatura o de la historia, en una atmósfera impregnada de sensualidad. *Indicios vehementes* (1985) o *Devocionario* (1986) continúan esta temática con dignidad, candor y ciertos toques irónicos en una ética claramente hedonista. Pinta con frecuencia decorativos ambientes de corte modernista y recurre a símbolos y metáforas del lenguaje litúrgico o de las ceremonias católicas vividas en la niñez o adolescencia. Como dice Andrew Debicki: «El resultado es un mundo ambiguo (¿pudiera decirse postmoderno?), en el que la intensa sensualidad coexiste con su parodia» *(Historia..., 297)*.

Su mayor mérito consiste en la creación de una poesía erótica que superando toda la tradición amorosa petrarquista, romántica o modernista, de extremada idealización de la mujer, y en sintonía con un activo movimiento feminista, subvierte con su mirada nueva la tradicional visión androcéntrica del tema amoroso en una poesía cargada de recuerdos de la adolescencia, que le añaden cierta morbosidad dentro de un gusto modernista superado a veces por la mirada irónica postmoderna. Como dice Sharon K. Ugalde: «Rossetti logra expresar la intensidad del deseo sexual femenino al mismo tiempo que desafía sonriente la tradición de la poesía amorosa por medio de la radical inversión, mujer/sujeto, hombre/objeto» (Ciplijauskaité, *Novísimos, Postnovísimos*, pág. 122).

Rossetti se expresa en un versolibrismo que fluye lleno de ritmo y musicalidad, y cargado de sensaciones y sorpresas. Su culturalismo, compartido con sus contemporáneos, resulta moderado y siempre orientado a la expresión intensa y novedosa de sensaciones profundas y muy personales.

Obra poética:

Indicios vehementes (Poesía 1979-1984) (Comprende: *Los devaneos de Erato*, 1980; *Otros poemas, Dióscuros*, 1982; *Indicios vehementes*, 1985; *Sturm und Drang)*, Madrid, Hiperión, 1985.
Devocionario, Madrid, Visor, 1986.
Yesterday, Madrid, Torremozas, 1988.
Virgo potens, Valladolid, El gato gris, 1994.
Punto umbrío, Madrid, Hiperión, 1995.

A LA PUERTA DEL CABARET

Hubiera sido venturosísima
amándole toda la vida.

María Alcoforado

Así te mostraron de repente:
el poderoso pecho, como el de un dios, desnudo,
mientras el oro entero, convocado en tu rostro, te nimbaba.
Me fui de aquel lugar,
tu imagen mis visiones presidiendo.
Día tras día te atribuí todo lo hermoso que encontré.
Mas nada igualó a tu luz primitiva
ni pudo superar al equívoco gesto,
tan femenina boca,
bello desdén del curvo labio. No, nada pudo.
Y ninguna invención que trajeron los días
mejoró a aquel fugaz momento.

DIÓTIMA A SU MUY APLICADO DISCÍPULO[1]

El placer es el mejor de los cumplidos

Cocó Chanel

El más encantador instante de la tarde
tras el anaranjado visillo primoroso.
Y en la mesita el té

---

[1] Habla de Diótima de Mantinea (alrededor del año 400 a.C.), sacerdotisa griega, gran maestra de Sócrates y una de las más influyentes pensadoras de to-

y un ramillete, desmayadas rosas,
y en la otomana de rayada seda,
extendida la falda, asomando mi pie
provocativo, aguardo a que tú te avecines
a mi cuello, descendiendo la mirada
por el oscuro embudo de mi escote,
ahuecado a propósito. Sonrójome
y tus dedos inician meditadas cautelas
por mi falda; demoran en los profundos túneles
del plisado y recorren las rizadas estrellas
del guipur. Apresúrate, ven, recibe estos pétalos
de rosas, pétalos como muslos
de impolutas vestales, velados. Que mi boca
rebose en sus sedosos trozos, tersos y densos
cual labios asomados a mis dientes
exigiendo el mordisco. Amordaza,
el jadeo de tu alto puñal, y sea tu beso
heraldo de las flores. Apresúrate,
desanuda las cintas, comprueba la pendiente
durísima del prieto seno, míralo, tócalo
y en sus tiesos pináculos derrama tu saliva
mientras siento, en mis piernas, tu amenaza.

MI JARDÍN DE LOS SUPLICIOS

En el rincón secreto, bajo el árbol,
despacio, muy despacio, desataste mis trenzas
y luego, impetuoso, porque yo sentí frío
y terca me negaba, arrancaste mi ropa.

---

dos los siglos (sea una figura real o de ficción) a través de *El Banquete* de Platón, donde le enseña a Sócrates que el amor es hijo de Poros y Penia, la carencia y la plenitud. Según ella, nuestra concepción del amor se perfecciona con los años y pasa de admirar la belleza del cuerpo joven a la belleza de todos los cuerpos, la del alma, de las leyes y, por fin, la belleza de las ideas divinas. Ana Rossetti al pintar al personaje prescinde de la faceta intelectual y resalta únicamente el aspecto sensual y erótico.

Con cíngulo de larga enredadera
la deslucida organza que sirviera de colcha
a la cuna común, experto me ceñiste.
En la callada hora, muy lejos de los padres,
con jugo de geranios la boca me teñías
y ajorcas vegetales en mis breves tobillos
se enroscaron.
        Bailé furiosamente.
Cual halo tras de mí henchíase la túnica,
en torno a ti crecían los aros de mis huellas.
Yo, tanagra[2] diversa, evasivo laurel
y tú quieto. Perfectamente quieto
salvo el brazo con el que me flagelabas.

CINCO

Nido enredado, ensañado en mi pecho,
así es mi hermana.
El surco de sus uñas mi hombro enhuella
mientras que, de su oreja, el ascua diminuta
se convida en mi boca, incitante.
Mi hermana, ensortijando sus cruelísimos dedos
con mi pelo, lo enrosca, lo retuerce.
Como flexibles mimbres las piernas enlazadas,
adosados los torsos, sólo lágrima
de mejilla a mejilla se interpone.
En el descolorido parterre de la alfombra,
me ha abatido. Expuesta la garganta,
sus aristados dientes en mí entran.
Largamente insistiendo, devastándome
hasta que la fatiga consiga desasirla.
Pues sólo ella consiente la victoria al cansancio.

---

[2] Estatuilla de terracota que se fabricaba en Tanagra, ciudad de Beocia en Grecia, y después en otras ciudades griegas.

CHICO WRANGLER

Dulce corazón mío de súbito asaltado.
Todo por adorar más de lo permisible.
Todo porque un cigarro se asienta en una boca
y en sus jugosas sedas se humedece.
Porque una camiseta incitante señala,
de su pecho, el escudo durísimo,
y un vigoroso brazo de la mínima manga sobresale.
Todo porque unas piernas, unas perfectas piernas,
dentro del más ceñido pantalón, frente a mí se separan.
Se separan.

(Indicios vehementes, 1985)

MARTYRUM OMNIUM

Queridos compañeros de la infancia,
lecturas prohibidísimas,
cuando toda la casa sucumbía
al ardor de verano —detrás de las persianas
la siesta había invadido y deshecho
y ningún albedrío velaba en la penumbra—
rehusando la prudencia yo os buscaba.
En mi regazo todos, puntual asistía
a la cruel peripecia del martirio.
Seductoras palabras: garfios, escorpiones,
erizados flagelos, pez hirviente...
mi cabeza inclinada en ellas zambullía
su turbio sobresalto,
se manchaba del púrpura más vivo
demandando tan alto privilegio
de rodar cercenada salpicando baldosas.
Hasta que, al fin, mi frente
al premioso designio de los sueños

80

rendía su salario
y feroces legiones venían a matarme.
Chocaban sus escudos,
de barnizado cuero las cintas golpeando
los más hermosos muslos que jamás había visto
y las flotantes capas desde los rudos hombros
henchían su carmín.
Y esperaba que en el momento justo
cuando la espada hundiera su liso resplandor
en mi virginal pecho, el concierto de ángeles
exacto irrumpiría y un diluvio de luz
del cuarto borraría las paredes
sin que se dividiera la muerte del arrobo.
No me atreví jamás
a mirar en el Año Cristiano
sin tener junto a mí la colcha azul celeste
adecuado atavío para abrazar la palma
y la doble azucena que, seguro
esa tarde sin falta, alcanzaría.

LA ANUNCIACIÓN DEL ÁNGEL

A Pablo García Baena

Muriérame yo, gladiador, arcángel, verte avanzar
abierta la camisa, tenue vello irisado
por tu pecho de cobre.
Brazos, venas,
latido, curva, élitros de insectos
bajo el músculo o velas de navío.
Muriérame yo en ellos, cautiva la cintura,
amenazante dardo presentido,
pálido acónito,
igual que una fragancia, preciso, me traspase.
Muriérame yo en tu ancho hombro
doblada mi cabeza. Empapado y oscuro
indeciso resbala por tu frente el acanto

81

y mi mejilla roza, y cubre y acaricia.
Muriérame, sí, pero no antes
de saber qué me anuncia este desasosiego,
rosa gladiolo o en mi vientre ascua.
No antes que, febriles, mis dedos por tus ropas
desordenándolas las desabotonen,
se introduzcan y lleguen
y puedan contemplar, averiguarte,
con su novicio tacto.

(Devocionario, 1986)

DOMUS AUREA

Haec omnia tibi dabo, si cadens adoraveris me

MAT. 4, 9

Es la casa perfecta
donde ni un solo pétalo intenta aventurarse
más allá del jarrón y la luz no pretende
abrir un abanico en los espejos,
y el aire no consigue arrancarle palomas
a los libros, ni arrasarle el dosel
al tul de las cortinas, ni estremecer vidrieras.
Un decreto invisible afana su gamuza
sobre las porcelanas, mantiene intacto el brillo
de las cuberterías y pulidos los pomos,
los caireles; vigila el territorio
de cada bibelot, la exacta inclinación
de cada lámpara, la desnudez del mármol
de los aparadores
y garantiza
el orden y la muerte.
Es la casa perfecta
y mi amor vendaval, es aguacero, alondra
que no encuentra lugar donde quedarse.

(Yesterday, 1988)

PERO QUÉ DEBO HACER
Dónde estará el sosiego
cuando en mi corazón duran las sensaciones
inquietantes del mundo y no puedo ordenar
en un caleidoscopio
la fragmentada imagen del recuerdo.
Ni entre los atropellos de voces y rumores
ni en el retroceder hasta un tiempo anterior
de todos los reflejos que voy acumulando
encuentro algún lugar para la ciudadela
inmóvil del silencio.
Un desbrozado espacio
para asentar la nada.

COMO SI UNA LINTERNA ME ARRANCARA
de en medio de la noche,
así me descubriste, así me señalaste.
Así horadaste mis silencios escarpados y troquelaste
las fronteras de mi isla.
Nombrándome me expones, me sitúas en el ojo de la diana.
No hay lugar para el ardid, no hay escondite.
Soy blanco paralizado, centro de tu voluntad, destino
de tu atención y tu advertencia.
¿A qué esperas?
No rehúyo la luz.
Hágase en mí lo que tu dardo indica.

(Punto umbrío, 1995)

83

Javier Salvago

(Paradas, Sevilla, 1950)

Con *La destrucción o el humor* (1980), título ya emblemático que señala el cuestionamiento y la superación irónica de la idealidad romántica y la manipulación paródica de viejos textos, Salvago descubre la veta más novedosa que va a dar brillantez a su poesía. Se distancia también de los poetas del preciosismo exquisito y culturalista, que no se libran de una alusión irónica en «Variaciones sobre un tema de Manuel Machado» («y dedique a Venecia y a Pisa algunas odas»), y esto a pesar de que usa con frecuencia, como técnica poética, el *collage* de versos conocidos para airear su reacción paródica a venerables textos de la tradición literaria («Me ha picado esta noche»).

Su poesía aparece en gran medida anclada en el recuerdo y en la memoria, tal vez por eso se la haya llamado «de estirpe simbolista», ya que abundan los poemas de evocación del pasado y de balance de la vida. Sin embargo, el poeta siempre halla nuevos e ingeniosos modos de evocar estos recuerdos, a veces presentándolos como un «álbum» guardado en la memoria («Tengo guardadas fotos») o como una luz que de pronto «ilumina el recuerdo» («Enciendo un cigarrillo»). También abundan los versos alusivos a las experiencias diarias y triviales: «reivindica la vida cotidiana como tema, no desdeña lo coloquial como forma de expresión, y tiene como fondo una visión irónica de la realidad. Manuel Machado y Jaime Gil de Biedma son miembros destacados de ese club atemporal, prosaico y distinguido» (J. Lamillar, «El don de la ironía», pág. 29). El tono coloquial, el sabor popular y la sencillez de expresión nos recuerdan además a Bécquer y a A. Machado, dos poetas de su entorno geográfico y estético.

Javier Salvago tiene un natural sentido del ritmo y de la musicalidad, habla en voz baja, en tono confidencial e íntimo, y reincide en temas que le obsesionan. El «diario» de sus versos, como él los llama, revela un desencanto creciente, el desgaste de la ilusión y de la vida, por la que se siente atrapado («desengaños / mentiras, soledad, aburrimiento»), y la soledad que de continuo le acompaña. La voz poética, escéptica y desalentada, se siente delante de un «negro e inhóspito horizonte» («Año nuevo»). Javier Salvago es, no obstante, uno de los poetas que introducen la ironía, el humor y la parodia en la poesía española reciente, creando un estilo y un tono lírico en el que, lejos de las exquisiteces novísimas, escriben, con marcado desenfado, poetas como Jon Juaristi, L. García Montero, Carlos Marzal, J. A. Mesa Toré o Leopoldo Alas, entre otros varios.

OBRA POÉTICA:

Canciones del amor amargo y otros poemas, Sevilla, Angaro, 1977.
La destrucción o el humor, Sevilla, Calle del Aire, 1980.
En la perfecta edad, Sevilla, Ayuntamiento, 1982.
Variaciones y reincidencias, Madrid, Visor, 1985.
Antología, Granada, Maillot Amarillo, 1986.
Momentos, Avilés, Casa Municipal de Cultura, 1987.
Volverlo a intentar, Sevilla, Renacimiento, 1989.
Los mejores años, Sevilla, Renacimiento, 1991.
Ulises, Valencia, Pre-Textos, 1996.
Variaciones y reincidencias (Poesía 1977-1997), Sevilla, Renacimiento, 1997.

NO ES NADA, PERO DUELE[3]

La soledad no existe.
Dicen que es sólo un tema
que pone el tono triste
en algunos poemas.

Me he plantado mi abrigo
mejor, frente al espejo,
y he salido a la tarde
con un corazón nuevo.

¡Tanta gente...! Imposible
que alguien pueda dudarlo.
La soledad no existe
nada más que en los tangos.

En la mesa vecina
del café, una enfermera
le cuenta a sus amigos
detalles de una juerga.

Pasan dos quinceañeras
y en sus ojos hay algo
de gatitas en celo
con la fiebre del sábado.

_____

[3] Aunque voy indicando el libro y el año en que se publicó cada poema, a petición del autor ofrezco aquí los poemas en su versión última, según aparecen en *Variaciones y reincidencias (Poesía 1977-1997)* de 1997.

La soledad... ¡Mentira!
La niegan las parejas
que en los bancos del parque
se muerden y se estrechan.

La soledad no existe.
Dicen que es sólo un tema
que pone el tono triste
en algunos poemas.

(La destrucción o el humor, 1980)

OCHO

Tengo guardadas fotos
tuyas, sin papel kodak,
pero mucho más claras,
vivas, en la memoria.

Tengo guardadas fotos
tuyas del primer día.
Tengo todas tus caras,
tus gestos, tus sonrisas.

Te tengo en jean, en ropa
interior, en la cama,
desnuda, y en la ducha,
junto a mí, enjabonada.

Tomando el sol, bailando,
mirándote al espejo...
Tengo un álbum de fotos
tuyas en el recuerdo.

DIEZ

Enciendo un cigarrillo.
La casa está serena.
Se ilumina el recuerdo
y revivo esa escena,

cálida, en la que estamos
tú y yo, sobre la cama,
despiertos y abrazados.
Interior. Madrugada.

El campo sigue fuera,
más oscuro y más vivo
quizás. Es la primera
vez que te has atrevido

a decirme te quiero.
Y, aunque finja que paso,
detrás de mi silencio,
te miro emocionado.

TRECE[4]

Me ha picado esta noche
la mosca de los celos en la oreja
y quisiera saber si estás en casa
o con otro, corriéndote una juerga.

[4] He aquí una versión anterior del poema con considerables variantes:

Has tirado esta noche
mi humor a la cuneta,
y quisiera saber si estás en casa
o con otros, corriéndote una juerga.

Aunque andes de puntillas,
se despierta la fiera
y uno que es liberal y no le importa
lo que hagan con la vida, si es la ajena,

se vuelve suspicaz, mezquino, espía,
ve visiones, se amarga y se atormenta.
—*Es el amor que pasa*.
Pues que llame a otra puerta.

VARIACIONES SOBRE UN TEMA
DE MANUEL MACHADO[5]

El médico me manda no escribir más. Al menos,
me pide que no ponga sobre la llaga el dedo,
que deje de arañarme por dentro como un gato
y, de escribir, que escriba con menos entusiasmo,
que me ande por las ramas —mejor, que fantasee
lo mismo que hacen otros—, que llene las paredes
de tapices, el suelo de mullidas alfombras
y dedique a Venecia y a Pisa algunas odas.
En suma, que no saque mis trapos a la calle
—si por trapos se entienden ciertas intimidades—

¿Ves, chica, lo que ocurre?
Se despierta la fiera
y uno que es liberal y no le importa,
por lo común, milagro en vida ajena,

se vuelve susceptible y, de algún modo,
en un vaso provoca una tormenta.
—*Es el amor que pasa*.
Pues que llame a otra puerta.

[5] Javier Salvago con humor y fina ironía hace una clara y severa caricatura de la estética de los novísimos (el cargar sus poemas de objetos decorativos, lujosos y refinados, joyas y telas preciosas, su venecianismo, su lenguaje complicado y oscuro), mientras confiesa que prefiere el tono confesional y los temas del tiempo que le ha tocado vivir.

y que aprenda a ser pulcro, discreto y decadente
como algunos colegas bastante transigentes.
Total, para que el sueño me otorgue sus blanduras,
imitaré a *la grey que aspira a ser oscura.*
En un curso intensivo, me aprenderé los nombres
de cuantas telas haya y de todas las flores.
Celebraré los fastos, la gloria, la grandeza
de alguna corte antigua —mejor de ser siniestra—
y afinaré las cuerdas de mi rudo instrumento
para que en adelante suene a Renacimiento.
Si por alguna causa se me agotara el tema
siempre habrá alguna moda, liviana y pasajera,
algo que nos devuelva el sabor del pasado
o su olor, cuando menos, discretamente rancio.
Así que *por la paz de un reposo perfecto*
—con tal de que no deje testimonio del tiempo
que me tocó vivir—, todo vale. De acuerdo.

(En la perfecta edad, 1982)

BLUES DEL VIEJO UNIFORME

El viejo jean, las botas, la chaqueta
de pana, la ilusión..., viejo uniforme
que cubría del frío de otro invierno
la integridad de un corazón más joven.
Ya no dice lo mismo, aunque lo siga
colgando de una percha cada noche,
como un hombre de Lee que se resiste
a entender que ganó la guerra el Norte.

(Variaciones y reincidencias, 1985)

LA LUCHA POR LA VIDA

Presiento que no soy el mejor yo
de todos los que quise ser y he sido.
He conocido a otros más hermosos,
mejor amantes y mejor vividos.
—Todos, sin excepción, mucho más jóvenes,
prometedores y atractivos—.

No soy el mejor yo.
Pero, al menos, aguanto y sobrevivo.
Los demás, con sus sueños
—cansados, derrotados, aburridos—,
fueron cayendo
uno tras otro en el camino.

CUADROS DE UNA EXPOSICIÓN

Anochecer de otoño, niño leyendo y tú.
Niño tras los cristales, una tarde de lluvia,
y tú... Omnipresente, en cada cuadro
de este museo de la memoria,
como un fondo de nubes presentidas,
como una blanca sombra,
pudorosa, invisible, pero siempre
dominando la escena.
Adolescente insomne una noche de luna
y tú. *Joven bebiendo*
en la barra de un bar y tú...
                              Asomada
al tragaluz de mi retina,
jugando con mis cromos y mis puzzles,
pasándome las páginas de un libro,
soplándome algún verso en la honda noche,
poniendo un cigarrillo entre mis labios,

caminando a mi lado por calles bulliciosas
o por calles oscuras.

Insoportable, a veces.
Acogedora y dulce, otras.
Amorosa o terrible,
agria, muda o sonora, siempre tú,
inevitablemente
—dentro de mí— conmigo,
soledad.

(Volverlo a intentar, 1989)

SOBRE EL TAPETE VERDE DE LA VIDA

Nos pasamos la vida de farol,
temiendo que nos cojan y descubran
que no llevamos juego,
que no sabemos nada
de nada...
        Nos pasamos
la vida calibrándonos, cubriéndonos,
con la guardia bien alta.

Todos fingiendo y todos con las mismas
o parecidas malas cartas.

(Los mejores años, 1991)

AÑO NUEVO

Como las cosas no podían
ir a peor —escribió Kafka,
en su Diario—, *mejoraron.*

93

Cómo me gustaría, ante este negro
e inhóspito horizonte que se abre,
ante mí —como un año más,
o como un año menos—,
poder decir lo mismo.
                         Pero siento
que no he tocado fondo,
que hay más miseria, más dolor, más tedio
más adelante, que las cosas
pueden empeorar.
Que lo peor, como quien dice,
aún está por llegar.

31, *Diciembre*, 1996

HAIKU

Cayó la noche,
pesada como un fardo,
sobre nosotros,

y vimos las estrellas.

Septiembre, 1996

AQUELLOS MARAVILLOSOS AÑOS

Que la vida dolía
yo lo aprendí muy pronto.
Quizá por eso anduve tantos años
huyendo de la vida, como loco;

ciego, para no ver lo que sabía
que iba a ver nada más abrir los ojos;
borracho, para no mirar de frente
su impenetrable rostro.

Para poder vivir en paz, sin miedo,
para animarme, me lo bebí todo.
—Sólo así conseguí, en algún momento,

ser feliz y gozar la vida a fondo—.
Pero el sueño de la razón es sueño
y engendra monstruos.

Septiembre, 1997
(Doce poemas)

Jon Juaristi
(Bilbao, 1951)

Ha ejercido la docencia universitaria como catedrático de Filología Española en la Universidad del País Vasco y ha sido profesor en varias universidades americanas. Traductor de importantes obras (poesía y novela, sobre todo) de la literatura euskérica, también ha publicado numerosos ensayos, entre los que cabría destacar *El bucle melancólico,* que obtuvo el Premio Nacional de Ensayo en 1998.

Como poeta ha publicado una abundante obra y destaca por su fuerte y original voz lírica, considerada una de las más singulares de la poesía reciente. *Diario del poeta recién cansado* (1985), *Suma de varia intención* (1987) y *Mediodía* (1994), entre otros libros, sorprendieron por su gran diversidad de registros, desde el cansancio y tedio existencial («Vers l'ennui»), hasta el sarcasmo y la cruel parodia. Cultiva la poesía civil hablando con fuerza y pasión de temas desacreditados por varias décadas de poesía social, ya cantando a un venerado poeta y maestro («Gabriel Aresti, 1981»), ya enfrentándose con su lengua, sus compañeros y su propio pueblo, desgarrado por las tensiones del terrorismo. En otro poema ofrece a su patria un canto filial, en que con velada ironía también recuerda los rencores, crispaciones y desconsuelo que provoca en sus hijos («Patria mía»). El poeta bilbaíno es también un maestro consumado en el arte de la sátira horaciana, pasada por el ingenio ilustrado de Jovellanos y aplicada a temas y ambientes del presente («Sátira primera [A Rufo]»).

Jon Juaristi no rehúye la narratividad o el uso del lenguaje coloquial, con frecuencia áspero pero emotivo, y es que el poeta, en el mundo de la postmodernidad, ha superado aquella «absoluta separación entre lo que se consideraba lengua poética y lo que se consideraba lengua coloquial o lengua vulgar». Juaristi se decanta por un tono intermedio, «bastante cercano a la lengua coloquial», reservando connotaciones irónicas para las continuas alusiones a la lengua poética tradicional (J. Juaristi, *Sermo humilis*, pág. 76), según vemos en poemas como «Sátira primera (A Rufo)» y «Agradecidas señas».

Como afirma A. Jiménez Millán, «pocos poetas han utilizado el sarcasmo y la parodia con el atrevimiento —y el desenfado— de Jon Juaristi» («Un engaño menor», pág. 52). Con ello, con el uso de las rimas ricas, incluso agudas, en poemas o momentos decisivos, y con una ironía distanciadora que asoma en los pasajes más inesperados, presta a su poesía una intensidad y fuerza insólitas dentro de una visión desencantada y melancólica de las cosas. «Pero a pesar de su desgarro y gracias a la ayuda del humor, no pierde nunca las riendas del poema, al que dota de un tono moral que casi habíamos olvidado desde el tenaz silencio de su reconocido maestro Jaime Gil de Biedma» (F. Castaño, «*Arte de marear*, de Jon Juaristi», pág. 18).

OBRA POÉTICA:

Diario del poeta recién cansado, Pamplona, Pamiela, 1985.
Suma de varia intención, Pamplona, Pamiela, 1987.
Arte de marear, Madrid, Hiperión, 1988.
Los paisajes domésticos, Sevilla, Renacimiento, 1992.
Mediodía (1985-1993), Granada, Comares, 1994.
Agradecidas señas, Palma de Mallorca, Monograma, 1995.
Tiempo desapacible, Granada, Comares, 1996.
Poesía reunida, Madrid, Visor, 2000.

VERS L'ENNUI

but who is that on the other side of you?

Entonces era el mundo. Qué grande parecía.
En el límite mismo del verano, qué dulce
el tiempo que se abría, la luz indeclinable.

Entre el pinar y el río se extendían los huertos:
los pequeños retazos de maizales y habares
brillaban agolpados bajo el oro de junio.

Inventar cada día las cosas, empaparse
de sol, buscar los nombres del grillo y de la arena,
del hinojo fragante, del cangrejo, del cuarzo.

Y el regreso: la tarde nos devolvía al sueño
por estradas de polvo y escoria triturada,
dóciles a las voces cercanas del cansancio.

Pero yo te sentía. Tú venías conmigo,
ángel del tedio, hermano, arrojando tu sombra
sobre las zarzamoras, tu sombra abominable.

GABRIEL ARESTI, 1981[6]

Seis años, y tu verbo sigue dentro del mío
precisando las voces de este mundo en acecho.
Padre bronco, me diste la tormenta por techo,
la intemperie por muro y por predio el baldío.

Seis años hasta darte mi epitafio tardío,
largamente fraguado en el hondo despecho.
Sobre el erial cernías el vuelo insatisfecho,
gavilán de tiniebla, centinela sombrío.

Me legaste el destino del lobo solitario,
la desazón extrema, la amargura sin tasa
y la acerba certeza de no ser necesario.

Que en el yermo en cenizas no me falte tu brasa.
Que me acosen los lobos por guardar tu expoliario.
Que me encuentre la muerte defendiendo tu casa.

(Diario del poeta recién cansado, 1985)

IL MIGLIOR FABRO

Siempre lo dije y fui —creo— sincero:
Unamuno el primero
y después Blas de Otero.

---

[6] Es un homenaje a Gabriel Aresti (1933-1975), considerado el más distinguido poeta vasco del siglo XX, a los seis años de su muerte (v. 5). Juaristi adopta la
voz bronca, de firmeza, denuncia y protesta del maestro para renovar su lealtad a
los principios y valores que Aresti había expresado con tanto vigor en su libro
Harri eta herri: «Defenderé / la casa de mi padre. / Contra los lobos, / contra la sequía, / contra la usura, / contra la justicia, / defenderé / la casa / de mi padre... /
Me moriré / se perderá mi alma, / se perderá mi prole, / pero la casa de mi padre /
seguirá / en pie», Gabriel Aresti, *Maldan behera (Pendiente abajo), Harri eta herri (Piedra y pueblo),* edición bilingüe de Javier Atienza, Madrid, Cátedra, 1979, pág. 261.

A lo hecho, pecho. Apelo ahora al derecho
de cambiar de canal:
Tú eras el más grande,
Marcial.

(Suma de varia intención, 1987)

PATRIA MÍA

Llamarla mía y nada todo es uno
aunque naciera en ella y siga a oscuras
fatigando sus tristes espesuras
y ofrendándole un canto inoportuno.

Juré sus fueros en Guernica y Luno,
como mandan sus santas escrituras,
y esta tierra feroz, feraz en curas,
me dio un roble, un otero y una muno.

Y una mano —perdón—, mano de hielo,
de nieve no, que crispa y atiranta
yo no sé si el rencor o el desconsuelo.

Y una raza me dio que reza y canta
ante el cántabro mar Cantos de Lelo.
No merecía yo ventura tanta.

(Suma de varia intención, 1987)

SÁTIRA PRIMERA (A RUFO)

Te has decidido, Rufo, a probar suerte
en un certamen de provincias donde
ejerzo casualmente de jurado,
y encuentro razonable que me llames,
al cabo de diez años de silencio,
preguntando qué pasa con mi cátedra,

qué fue de aquella chica pelirroja
con quien ligué el ochenta en Jarandilla,
cómo siguen mis viejos, si padezco
todavía del hígado y si he visto
a la alegre cuadrilla del Pecé.
Pues bien, ya que deseas que te cuente
de mí y mi circunstancia, has de saber
que un punto de Alcalá me la birló,
en Jodellanos gran especialista,
a quien pago el café cada mañana
y sustituyo *volontiers* los días
en que marcha a simposios en San Diego,
en Atlanta, Florencia o Zaragoza.
Se casó con Gonzalo. El hijo de ambos
va al colegio del mío, pero en vano
acudo a todas las convocatorias,
reuniones, funciones navideñas.
La pícara me elude, y yo departo
interminablemente sobre fútbol
con el cretino del marido, mientras
asesinan los críos una sórdida
versión del Cascanueces. Bien conoces
al pelma de Gonzalo. Creo incluso,
que fuiste tú quien se lo presentó.
No pruebo ni una gota últimamente,
después de la biopsia. Te confieso
que añoro aquellos mares de vermú,
aunque el agua es sanísima. Vicente,
antiguo responsable de mi célula,
es viceconsejero de Comercio
por el Partido Popular, y, claro,
se mueve en otros medios. Otra gente
parece preferir ahora Vicente.
Mis padres van tirando. Cree, Rufo,
que nada tengo contra ti. Al contrario,
te recuerdo con franca simpatía.
Sobradas pruebas de amistad me diste
en el tiempo feliz de nuestra infancia.
Es cierto que arruinaste mi mecano,

que me rompiste el cambio de la bici,
que le contaste a mi primera novia
lo mío con tu prima, la Piesplanos.
Eras algo indiscreto, pero todos
tenemos unos cuantos defectillos.
Veré qué puedo hacer. No te prometo
nada: somos catorce y, para colmo,
corre el rumor de que Juan Luis Panero.

(Los paisajes domésticos, 1992)

AGRADECIDAS SEÑAS

A Luis García Montero

No tengo casa propia
ni coche. Vivo solo
y mi cuenta corriente
está en números rojos.

Habito un ventisquero,
un frío promontorio
batido por las turbias
galernas del otoño.

Pasé la cuarentena,
doblé mi Cabo de Hornos,
perdí todos los mástiles
del alma en los escollos.

He vivido en países
no demasiado exóticos,
pero del triste mundo
sé más que los geógrafos.

Nací bajo Saturno,
nocturno dios del plomo.
El mío ha sido un tiempo
tirando a tormentoso.

Mi juventud distraje
con juegos peligrosos.
Sigo siendo de izquierdas,
aunque se note poco.

No recuerdo las veces
que resbalé hasta el fondo
por el derrumbadero
de los buenos propósitos

ni quiero dar noticia
de lances más gloriosos:
volver atrás la vista
me pone melancólico.

Vaya sólo un consejo
para los paranoicos:
la amnesia, si oportuna,
aleja el mal de ojo.

Tocando la memoria,
mejor pecar de sobrio:
mi infancia son recuerdos
de algún parque zoológico

y púberes deslices
de vate vanidoso
y megalomanía
en pantalones cortos.

Recelo hoy de los trucos
de los poetas mozos,
y a distinguir me paro
las voces de los bozos.

Amo a mi pueblo vasco,
un pueblo noble y tosco
metido en un atasco
que firmaría el Bosco.

Le dejaré en herencia
mis huesos y mis polvos
y cuatro o cinco libros
de versos rencorosos.

Y si la poesía
me ha dado casi todo
(o sea, el buen puñado
de amigos que atesoro),

reñir y enamorarme
son artes que conozco
mejor que la poesía:
juzgad ahora vosotros.

(Tiempo desapacible, 1996)

ROSARIO

Yo la quería mucho, pero entonces
amar y destruir sonaban parecido,
como en los más confusos poemas de Aleixandre.
Nos casamos con otros. Tal vez así perdimos
lo mejor de la vida. Quién sabe. Hubo una noche
en que ambos acordamos que pudo ser distinto
el rumbo de esta historia de culpa y cobardía.
Se quitó el pasador de su cabello oscuro
y me lo dio al marchar, y nunca volví a verla.
Murió. No lo he sabido hasta esta tarde misma,
varios años después, en su pequeño pueblo
y frente a la serena desolación del mar.
Ahora intento evocarla, pero se desvanece:
No he encontrado siquiera su pasador de rafia.

(Tiempo desapacible, 1996)

Abelardo Linares

(Sevilla, 1952)

Editor entusiasta de poesía, se inició con la revista *Calle del Aire*. Después dirigió la revista y editorial Renacimiento, «la más prestigiosa editorial poética del país» (Miguel d'Ors, *En busca del público perdido*, pág. 52), que descubrió la obra de destacados poetas y entre otros tipos de lírica ha promocionado la «poesía de la experiencia». Es también librero, crítico, comentarista literario y autor de varios libros de poemas, entre los que destaca *Espejos*, que consiguió el Premio de la Crítica de 1991.

Al principio de su actividad creadora parece obvio su fervor culturalista, que vemos en el recurso a mitos griegos o clásicos como el de Apolo persiguiendo a Dafne (que al ser alcanzada se convierte en laurel), que él utiliza como pretexto para reflexionar sobre problemas que le preocupan, como lo inalcanzable del deseo, el amor o la belleza («Cuerpo de Dafne»). El tema del amor es central en su obra, y suele ser en él evocación sensual y emocionada del encuentro amoroso. Escribe versos de feliz ritmo y musicalidad, a veces alejandrinos, que nos traen aires modernistas, pero con un nuevo sabor debido a la supresión de la rima («Qué corta fue la noche», «Laberintos»).

En *Espejos* (1991) lo vemos avanzar hacia una poesía muy personal y sofisticada, en que «como en un juego de espejos, mediante contrastes de conceptos y tejiendo múltiples relaciones internas, enlaza con los grandes temas de la modernidad» (V. García de la Concha, «*Espejos* (1986-1991)», *ABC Literario*, 28-II-1992, pág. 8). A veces va insinuando ya en la ex-

107

trañeza de detalles («veladores diminutos», «rostros borrosos», «silencio») una experiencia onírica que, con ecos de Unamuno o Borges, acaba en planteamientos metafísicos como el cuestionamiento de la existencia como realidad o sueño («El café con espejos») o de la propia identidad en un misterioso encuentro también onírico («La sombra»).

Es un destacado poeta del llamado «grupo de Sevilla». García Martín lo describía ya en época temprana como «un poeta neoclásico, cuidadoso de la perfección formal, parnasiano. Más frío que Fernando Ortiz, menos variado, acaso más perfecto» («Nuevo viaje del Parnaso o la sucesión de los novísimos», pág. 48). Se aleja de la poesía social y de todo realismo para buscar el sentimiento y la sensualidad, de ahí su frecuente tono neorromántico. Cultiva una poesía reflexiva que se plantea profundas cuestiones de la existencia y ha sido llamada metafísica y esencialista. Su lenguaje está próximo a lo coloquial; es preciso, musical y de cierta tendencia elegíaca.

OBRA POÉTICA:

Mitos, Sevilla, Calle del Aire, 1979.
Sombras (Poesía 1979-1985), Sevilla, Renacimiento, 1986.
Espejos (1986-1991), Valencia, Pre-Textos, 1991.
Panorama, Cáceres, Galería Nacional de Praga, 1995.

QUÉ CORTA FUE LA NOCHE

Huelen a ti las sábanas, amor, y todavía
está tu libro abierto encima de la mesa
y hay ropa por el suelo y discos y tabaco.

Aunque aquí ya no estés, mis brazos aún te buscan.
Y en este fingimiento de abrazarte en la almohada
persigo tu recuerdo, tu cintura, tus hombros.

Tu cuerpo no fue un sueño y quizás en el baño
mi cepillo me espere, mojado de tu boca,
o húmedas toallas que secaron tu pelo.

Huelen a ti las sábanas. El barrio se despierta.
Hay voces en la calle y luz tras la persiana.
El sol debe estar alto. Qué corta fue la noche.

LABERINTOS

Aún no ventea sangre la jauría
ni la trompa resuena por el bosque
y en su temblor la corza presiente ya la herida.

Aún no me has mirado con esos ojos tuyos,
tan hermosos que duele contemplarlos,
y ya mi vida toda presiente qué locura,
qué iluso y torpe afán será quererte.
Qué atroz y exacto laberinto
de ternura, de muerte y de deseo.

EL ENGAÑO

(La poesía)

Creí que era por juego por lo que se entregaba,
que ella misma era un juego hermoso y divertido,
que de verdad era mía sin pedir nada a cambio.
Lejos mi adolescencia y aquel deslumbramiento.
Ahora conozco al fin su frialdad y su orgullo,
su hastío y su miseria. Ha arrojado su máscara.

Lo que exige es mi vida, eso me pide a cambio,
mi vida en cada verso. Y no se saciará
por mucho que le ofrezca de mí mismo pues sabe
su poder sobre mí. Hasta la extenuación
querrá ser poseída y poseerme. No, no era un juego.

CUERPO DE DAFNE

¿Vale amor perseguido lo que amor que se ofrece?
¿Es sólo labio amado el de la boca esquiva?
¿Mueven más a deseo unos ojos que miren
los nuestros con ternura o esos otros que saben
prometer para luego mostrarse indiferentes?
Dafne huye de Apolo y sólo se le entrega
convertida en laurel. No es carne lo que ciñe
este dios en su abrazo sino ramas y hojas
y un débil tronco oscuro que el mito hace perennes.

Nunca lo deseado se alcanza. O de alcanzarse,
al punto se transforma y aquello que creíamos
amar se torna ajeno. Abrazamos a Dafne.
Amor nunca logrado, como una luz pervive
que sin quemar alumbra y siendo nada es todo.
Mientras que el poseído tras brillar un instante,

magnífico en su fuego, en la larga cadena
de los días se traba y cae derribado
por todo lo que es mínimo. Él, que no debiera
estar sujeto nunca a corrupción o muerte.

(Sombras, 1986)

MAGIA DE LA NOCHE

Era la noche cálida como lo son tus ojos,
gruta de magia blanca era la noche.
Era la noche cómplice, bajo qué estrellas rotas
cobijamos el sueño de una noche,
de un verano sin noche, de un instante tan hondo
que era nada la vida aquella noche.
Galerías secretas de tus ojos sin bruma,
su nocturno fulgor, su brillo intacto.
Fresca rama tu risa golpeando mi pecho
en esa abierta herida de la noche.
Temblaban nuestras manos unidas en la noche,
y era noche el perfume de tu pelo,
y dolía mirarte como cuando hace frío
y quemaba en mi noche tu mirada.
Cuando besé tus labios, pareció arder la noche.
Igual que un corazón latió la noche.
Y fue la noche nuestra y robamos la noche.
Sigilosa la luna nos seguía los pasos.

EL CAFÉ CON ESPEJOS

Era un café y estábamos charlando.
Un extraño café de gigantescas sillas
con unos veladores diminutos.
A nuestro alrededor rostros borrosos
o, más exactamente, unos hombres sin rostro;

y así no me extrañó todo el silencio
de aquel local de espejos infinitos.
No puedo recordar de qué charlaba,
pero sí mi alegría y la viveza,
sin duda exagerada, de mis gestos.
Él me dejaba hablar, indiferente
a toda la pasión que había en mis palabras.
De repente me dijo con voz bronca:
¿Y tú qué harás ahora que estás muerto?
Al principio no supe comprenderle,
tan estúpido aquello, tan falto de sentido,
y volví la cabeza. En los espejos
quise mirar mi rostro, pero era el de mi padre
el que veía en ellos. *¿Al fin te has dado cuenta?*
¿De qué?, le pregunté. *De que eres un sueño,*
hijo mío.

LA SOMBRA

La calle estaba oscura, había llovido
y brillaba la luna en el asfalto.
Una sombra sin sombra me detuvo
impidiéndome el paso. Oí su voz,
de un helado metal que no era humano,
preguntarme *¿qué buscas, di, qué buscas?*
Permanecí ante ella silencioso.
¿Qué buscas, di, qué buscas?, repetía,
la angustia y la mentira son la clave,
apréndelo (me dijo), *aún no es tarde.*
¿Por qué quieres pasar?, dime ¿qué buscas?
Pero no respondí. Sin decir nada,
abrí las negras puertas de mi pecho
y fue mi cuerpo uno con el mundo.
Sombra sin bulto era aquella sombra
y le tuve piedad como a algo vivo.
En la abrasada luz que eran sus ojos
detuve mi mirada un solo instante.

¿Qué buscas, di, qué buscas? Me decían
aún sus ojos ciegos. *Nada busco,*
le contesté por fin. Se hundió en la noche
de mis ojos aquella extraña sombra
de la que nada supe. Me aguardaba
una infinita calle toda a oscuras.
Oí mis pasos y descansé en mi sueño.

(Espejos, 1991)

NO ERA EL AZAR

Extraño como la sonrisa de un bisturí.
Íntimo como un ojo sin párpado abierto en nuestra mano.
Deslumbrante como el rumor del paso de un unicornio.
Fiel como la súbita seda negra del miedo.
Temible como el brillo de la espada de fuego de un arcángel.
Sumiso como las olas que rompen contra la playa de un
    pecho.
Devastador como la claridad de una mirada en un espejo
    roto.
Inevitable como la herida hecha de lluvia en un corazón de
    piedra,
el amor llega un día a nuestra vida y nosotros no estamos.

(Panorama, 1995)

Andrés Trapiello
(Manzaneda de Torío, León, 1953)

Director de empresas editoriales como La Ventura o Trieste y en la actualidad de la colección La Veleta de Granada, vive en Madrid y colabora en periódicos y revistas escribiendo ensayo, poesía y novela. En todos estos géneros ha conseguido amplio reconocimiento, destacando su poesía, que logró en 1993 el Premio Nacional de la Crítica.

Andrés Trapiello disuena en el concierto de su generación por su apego a la tradición y su rechazo de toda experimentación de corte vanguardista. En una voluntad, en el fondo postmoderna, de *revisitar* el pasado, prefiere ahondar en la tradición literaria y mantener con ella un diálogo a veces muy inmediato, pero vivo. Se le sitúa en el grupo de Trieste por su poesía de tono claramente emotivo e impresionista, de raíz simbolista, que canta el paisaje y viejos escenarios. Otros críticos le han clasificado con la «poesía de la intrahistoria» (M. d'Ors, *En busca del público perdido,* pág. 51). Con toques impresionistas evoca una somnolienta atmósfera de penumbra y cansancio en nostálgicos ambientes de provincia («Casinos») o un otoño con viejos recuerdos de la guerra («Para un combatiente del Ebro»). Como dice V. García de la Concha, «donde Trapiello logra sus mejores páginas es en la creación de estampas —género específicamente simbolista— que sirven de soporte al libre pensamiento contemplativo. "El Doncel" me parece en este punto todo un logro paradigmático y cifra, en buena parte, de *El mismo libro*» («Hermosos versos de caducada rima», págs. 30-31). La visita a la bellísima estatua del joven doncel

115

en actitud de leer, en el sepulcro gótico de la catedral de Sigüenza, le ha inspirado un valioso poema.

A partir de las más ingenuas memorias de la infancia, en un poema complejo y de largo aliento, sabe combinar el recuerdo autobiográfico con la meditación existencial sobre la vida, sus crisis y sentido, y todo ello en versos emotivos y conmovedores y en un lenguaje transparente («Virgen del Camino»).

Los críticos suelen calificar la poesía de Andrés Trapiello de poco novedosa, ya que no se decide a cuestionar las fronteras del género investigando «modalidades no líricas de la poesía» que puedan abrir nuevos horizontes (J. Mayhew, *The Poetics...*, pág. 138; A. Debicki, *Historia...*, pág. 282). Sin embargo, creo que el poeta logra hallar una voz nueva e inconfundible entre los ecos de la tradición literaria que el lector pueda detectar. Con tino y sentido lírico sabe evocar un pasado de recuerdos y sensaciones a cuyo encanto y belleza melancólica hace sucumbir también al lector. Andrés Trapiello ha sido considerado «uno de los poetas más delicados y profundos de los que actualmente escriben en lengua castellana» (Marià Manent, «Andrés Trapiello y Emily Dickinson», pág. 59).

OBRA POÉTICA:

Junto al agua, Madrid, Libros de la Ventura, 1980.
Las tradiciones, Madrid, Trieste, 1982.
La vida fácil y otros poemas, Madrid, Trieste, 1985.
El mismo libro, Sevilla, Renacimiento, 1989.
Acaso una verdad, Valencia, Pre-Textos, 1993.
Al leer a Leopardi, Cáceres, Galería Nacional de Praga, 1995.
Poemas escogidos, Valencia, Pre-Textos, 1998.
Rama desnuda, Barcelona, Tusquets, 2001.

CASINOS

Casinos de esos pueblos en las tardes lluviosas
llenos de aburrimiento. Penumbrosos salones
donde se habla en hectáreas. Arañas. Polvorientos
jarrones. Soñolencia. Tableros de ajedrez.
Abecés atrasados con el papel ya flojo
de haber sido leídos por demasiadas manos.
Eternidades. Siempre la luz modesta. Grandes
sillones con gutapercha roja. Cortinones
espesos y testeros color café con leche.
Socios. Conversaciones de adulterio o de duros.
¡Casinos de esos pueblos donde se huele a establo,
a loción de barbero y a suelos con lejía!
Sólo tenéis de intacto la mesa de billar;
su verde luminoso de pradera, las bolas
buscándose infinitas, sin repetirse nunca
como la vida humana, advierten al que llega
a vosotros, que sólo lo transcendente pasa,
que sólo lo fugitivo permanece y dura.

(La vida fácil y otros poemas, 1985)

PARA UN COMBATIENTE DEL EBRO

A Soledad
Un instante de azul es más que un alma

¿Qué sabemos nosotros
de los viejos caminos llenos de barro y lodo?
¿Qué podemos nosotros recordar
de la pasada guerra,
de esos pueblos pequeños rodeados de viñas?
¿De esos bailes de pueblo
sobre las verdes eras y a la luz del carburo,
cuando el sagrado azul, el azul del crepúsculo
se queda entre las tumbas, viejas y abandonadas?

Otoño, otoño mío.
¿Qué sabemos nosotros de la guerra?
Dime por qué el azul, sagrado azul,
es el color de los que nunca vuelven,
de aquellos que partieron
una mañana antigua
por los viejos caminos llenos de barro y lodo.

EL DONCEL

Ardoroso el verano, las encinas,
los dorados centenos.
La campana mayor está sonando
a media tarde. Chillan en el cielo
medievales cornejas
y acuden uno a uno los canónigos,
vestidos de paisano. Huele a cera
en las naves del templo y hace frío
entre las viejas piedras.

Melancólico estás sobre la tumba,
doncel, como doncella.
No muerta, no dormida,
sino contigo misma, ausente, amada
en el secreto amor, correspondida.
Leer, soñar, dejar que el tiempo pase
y el pensamiento corra igual que el agua.
Ésa es la eternidad. Vivir no estando vivo.
Morir no estando muerto y escuchar
a lo lejos, como temblor del tiempo,
sonajas de los álamos sombríos
y un arroyo entre juncos.

(El mismo libro, 1989)

ESPAÑA

Más que una piel de toro, una sotana.
Eso es verdad. Pero con todo era
para mí aquella patria una bandera
de vida pueblerina y virgiliana.

¿Y ahora? Un mapa sólo de colores
que igual que unas cenizas llevó el viento
a ciudades vulgares de cemento
y a este paisaje de marchitas flores.

No más que la memoria de una guerra
que a mi padre dejaba pensativo,
y aquella copla en el recuerdo incierto

que yo oía en la radio. Es de esta tierra:
«Sólo para olvidarte sigo vivo,
sólo de recordarte no me he muerto.»

VIRGEN DEL CAMINO

Estas noches de invierno hace frío en la casa,
los techos son muy altos y las paredes viejas,
cierran mal los balcones y la ventisca entra
hasta la misma cama donde espero
a que me venza el sueño y a que el sueño
me arrebate de golpe el libro de las manos,
y así, sobresaltado, me despierto
en medio de las sombras.
Y es entonces cuando comienzo un rito,
un viejo rito íntimo, igual todas las noches:
rezo un avemaría mentalmente.
Durante muchos años esto me avergonzaba.
«Qué buscas», me decía, «en oración tan simple.
Eres un hombre ya, no crees hace mucho
que el destino del hombre obedezca a unas leyes
divinas ni que el orbe, engastado de estrellas
en las ruedas del sol y de la luna
sea la maquinaria de un reloj,
al que un ser bondadoso
da cuerda cada noche en su vasto castillo,
esa vieja mansión que Nietzsche llamó Nada
y Bergson llamó Tiempo.
Es tarde para ti, me digo. Déjale
esa oración a otros, a tus hijos tal vez,
ignorantes aún de lo que sean
las palabras antiguas del arcángel
que anunciaron el Verbo y su silencio
en misterioso griego, según cuenta San Lucas.
No pienses otra cosa. Estás cansado.
Ya es bastante de un día
conocer su final y conocerlo en paz.
Deja, pues, de rezar. Ese viático
no puedes usurparlo, porque, di,
¿de qué te serviría? De qué sirve una llave
de la que no sabemos adónde pertenece».

Son razones que habré dicho mil veces,
pero al llegar la noche,
me acuerdo de otras noches
y el frío de mis pies entre las sábanas
es un frío de infancia, de internado,
cuando oía a mi lado el dulce respirar
en otras camas, y en el cristal la escarcha.
Y al recordar aquellas ya lejanas
noches de la meseta, tan largas,
oscuras y sin fondo,
recuerdo las palabras de los frailes:
«La Virgen del Camino
guiará vuestros pasos donde quiera que estéis:
No dejéis de rezarle y el camino
no será tan difícil. Será para vosotros
linterna en alta mar o una noche de luna.»
Y recuerdo que yo, para dormirme,
imaginaba, acurrucado,
debajo de las mantas que pesaban
pero que calentaban poco,
sin moverme siquiera de la parte más tibia
que había caldeado con esfuerzo,
incluso con mi aliento, imaginaba, digo,
qué sería de mí, y qué lejanos mares
habría de cruzar, qué extrañas tierras.
Otras veces pensaba si la muerte
habría de llegarme
como a aquel que labrando
un buen día su viña, ni siquiera
de recoger su manto tuvo tiempo,
o en medio de una fiesta, o en el sueño...
Al llegar a este punto
recuerdo que temblaba y pensaba en mi Virgen,
de modo que mis labios desgranaban
aquel *Ave María, gratia plena*
con el que yo me hacía
un lecho de hojas secas,
y luego me dormía... para llegar
muchos años después,

a noches como ésta,
noches frías de invierno
donde a solas conmigo voy pensando
y dejando en mi boca, una a una,
las palabras antiguas
de la Salutación, como si fueran
el óbolo que habrá de franquearme
los portales del manto hospitalario
que unos llamaron Tiempo
y otros llamaron Nada.

EN TUS MEJORES AÑOS

Cuando te veo ahora en tus mejores años
con toda la belleza de una copa de vino,
brillándote en los ojos el deseo y las noches
estrelladas de agosto, imagino ese invierno
en que, vieja y cansada, te entregues al recuerdo.

He querido llegar antes que tú a ese día.
Y revivir los tiempos en que tú levantaste
de esta ruina una casa, plantaste en ella higueras,
y alimentaste fuegos que a todos nos hicieron
imaginar la vida muy lejos de los muertos.

Ya ves que ahora han llegado, siniestros, silenciosos.
Por eso tu poeta ha venido contigo
a recorrer de nuevo nuestras amadas ruinas,
y si ayer fue tu risa, hoy será tu silencio,
cuando, vieja y cansada, de nada sirve el sueño.

(Acaso una verdad, 1993)

Juan Manuel Bonet
(París, 1953)

Historiador del arte y actualmente director del Museo Nacional Centro de Arte Reina Sofía de Madrid.

Como poeta mostró ya desde sus comienzos los perfiles de una obra lírica muy personal. *La patria oscura* (1983) y *Café des exilés* (1990) ofrecen poemas breves y sugerentes que evocan en pocas pinceladas la atmósfera sentida y melancólica de un suceso o momento histórico, por lo que se le asocia con la «poesía de la intrahistoria». Bonet escribe versos sencillos y emotivos tratando de aprehender con pocos medios datos decisivos para componer su cuadro. Así pinta en unos trazos cargados de nostalgia y melancolía un paisaje urbano evocador de señalados momentos de la historia («Pamplona»). Como un acuarelista consumado sabe captar en sugestivos trazos los datos que componen el poema («Espera en Wilanow»). Otras veces son las notas de un piano «lento y campesino» las que le recuerdan, con técnicas parecidas, la «sensación de frontera y contrabando por senderos umbríos» («Séverac previsited»). Bonet confiesa su estética de carácter impresionista: «Hacer con impresiones pasajeras un poema. Un poema cuya forma, precisa e imprecisa a un tiempo, esté al servicio de la impresión fugitiva, del tiempo que huyó.» El poema es como una «iluminación», dice, «alrededor de un instante, de una cosa, de un rostro, de una ciudad, de un tiempo pasado o lejano, propio o ajeno, de un libro, de un olor...» (J. L. García Martín, *La generación de los ochenta*, págs. 97 y 96). Sus versos recogen ecos del simbolismo y del modernismo tardío.

Juan Manuel Bonet, siempre sobrio en palabras, parece que, en algunas partes de *Café des exilés,* adopta formas minimalistas y logra aprisionar en pocas palabras el sentimiento de un instante («Octubre») o un eco de experiencias vividas («Samain»).

El poeta ha cultivado también el género poético del apócrifo publicando en 1994 *Praga. Doce poemas de Pavel Hrádok en versión de J. M. B.* Aparece como obra lírica de un supuesto poeta checo que vivió de 1907 a 1953. Los poemas llevan por ello ficticias fechas de composición en momentos en que las gentes de Praga, entre la bruma, la lluvia y sus cafés, «se movían inquietas por salir del corsé comunista». Juan Manuel Bonet demuestra talento y sensibilidad poco comunes al vivir y recrear en el verso la atmósfera de toda una época: unas veces, los gustos artísticos de la vanguardia («Bodegón cubista»); otras, la represión del poder comunista («Ventanas sobre el Vltava») o el ansia de libertad («Otoño de 1952»).

OBRA POÉTICA:

La patria oscura, Madrid, Trieste, 1983.
Café des exilés, Granada, Comares, La Veleta, 1990.
La ronda de los días, Palma de Mallorca, Guillermo Canals, 1990.
Praga. Doce poemas de Pavel Hrádok en versión de J. M. B., Granada, Comares, La Veleta, 1994.

GABINETE DE LECTURA

¿Qué buscas en los libros?

Fernando Fortún

Lector de viejas historias, ¿qué buscas
en los libros? Tal vez una tropa
perdida hacia Morella, con banderas
de otro siglo. Una provincia oscura.
La niñez y sus sueños. Una señal
de que fue grande la patria. La ilusión
y el misterio. La penumbra naciendo
al término del día, cuando el ángelus
es la paz de la tarde. Tu voz
en otras voces, que han de morir contigo.

PAMPLONA

Me basta esta ciudad para decir
el viento por los árboles, las horas
de ilusorios relojes, la niebla
que cubre sus alturas. Me basta
la tristeza de esos arcos, la luz
de una farola ciega, las murallas
protegiendo la antigua fortaleza.
Qué sueño este paisaje: nostalgia
pirenaica y rumor de guerreros
carlistas ya sin vida, cabalgando
hacia la patria oscura de sus amos,
conspiradores, curas, generales.

ESCRIBIR

Escribir —como si nada fuera importante—
el sencillo irse de las horas
sentado en la terraza de un café
de una provincia española.
Escribir, como si estuviera escrito
que el ruido de esas tazas sobre el mármol
tuviera que pasar el arroyo claro
de unos versos.
Escribir, como si nada fuera.

(La patria oscura, 1983)

ESPERA EN WILANOW

Por el canal entre hojas muertas
se desliza el cielo de octubre,
tan alto como el sonido
de tus pasos dentro de mí.
En la otra ribera, una carreta
avanza. Un pájaro pesca.
Mientras te espero, retengo
en mis ojos los elementos
que hoy, después de tanto tiempo,
componen este poema.

NO TEMAS

Por el pasillo avanza la penumbra,
unas formas que semejan fantasmas.
Mas no temas, no son malos espíritus.
Son solamente duendes juguetones

cuyo ser se disuelve en la música
del piano vecino, o en el cantar
de un río de tu país, que recuerdes
cerrando los ojos. No temas, no,
que encenderé la lámpara, y se irán.

SÉVERAC PREVISITED

¿Será el vals de los carabineros
el que suena lejano
en el crepúsculo?

Una vaga sensación de frontera y
contrabando por senderos umbríos,
una estancia en la que beben hermanos
los soldados, un olor a lluvioso
fin de tarde en Cerdeña con vencejos
de la paz del camposanto. De tantas
cosas, tan pequeñas que sólo importan
a tres gatos, sigue hablando en la noche
ese piano tan lento y campesino.

OCTUBRE

Empieza a hacer frío
en la casa.
Casi tanto como en mí
desde que no estás.

MIRA

Mira los estanques claros
del viento, que cuando calla
deja oír a la ardilla,

su suave camino de aire
entre los pinos más altos.

SAMAIN[7]

O sombre fleur du sexe
éparse en l'air nocturne...

De vuelta a la ciudad,
entre la lluvia y los coches,
son esos versos viejos,
ajados, amarillos
los que en tu memoria se enredan
como música y promesa.

(Café des exilés, 1990)

BODEGÓN CUBISTA[8]

Cuatro botellas, un periódico de la noche,
unas sombras chinescas, un bote de píldoras
adelgazantes, un ticket de tranvía, el recibo
de la luz, una invitación a la ópera,
el informe de un espía:
sólo faltan, para que este bodegón

---

[7] Albert Samain (Lille, 1858-Magny-les Hameaux, 1900), poeta menor del simbolismo francés, pero muy conocido e imitado por algunos poetas españoles del modernismo como Manuel Machado. Se distingue por sus poemas intimistas, delicados y sensuales, como los versos «Oh sombría flor del sexo / esparcida en el aire nocturno», que introducen el poema.

[8] Bonet presenta este poema como escrito por un poeta apócrifo, inventado por él, Pavel Hrádok, natural de Praga, en tiempo de las vanguardias (hacia 1927), y trata de captar la atmósfera de un cuadro cubista, un bodegón con los elementos típicos del cubismo de París. El supuesto pintor checo, muy joven (tiene veinte años), aún no ha sabido darle al cuadro un toque local, que el poeta sugiere: «la sombra de una cúpula» y la «espuma de cerveza».

128

pueda adjetivarse de praguense,
la sombra de una cúpula
y un poco de espuma de cerveza.

(Hacia 1927)

VENTANAS SOBRE EL VLTAVA

El viento arrastra el cielo. La lluvia
lluviea. Bate lejos una persiana olvidada.
La radio da noticias sobre las cenizas
de Europa. El agua hierve sobre el fuego.
La rosa se deshoja. El deshollinador
no ha venido. Tengo que comprar un disco
de *blues*. Me han escrito una carta
anunciándome que ha muerto, ultramarino,
Vicente Huidobro. Mis antiguos amigos
amenazan con echarme de esta casa fría. Ojalá
me salgan unos versos no malos, que digan
todo el horror y toda la dulzura
de vivir en esta ciudad, en este tiempo
de sospechas, de mentiras,
de horcas elevadas por aquellos
que quisimos ver en el Castillo.
Ojalá algún día se editen,
en esta ciudad, estos versos, y resulten
incomprensibles.

(Hacia 1949)

CONTRA LOS POETAS FUNCIONARIOS

Dijiste, mi viejo amigo Viteslav,
mejor que nadie,
Praga

129

la de los dedos de lluvia.
Mas ahora reinas, tras la chapa
de una negra *limousine* rusa,
sobre Praga
la de los dedos de sangre.

(1951)

OTOÑO DE 1952

Nunca me cansaré de mirar los montones de hojas secas
girando en la colina del Castillo. Estaba en contra
—tal era el programa de nuestra rara juventud—
de la poesía romántica, y sin embargo esos montones
de hojas secas conmueven mi viejo y roto
corazón, como lo conmueve el fluir del río. Las hojas,
el río, las nubes en el cielo: lo único que en mi ciudad
todavía se expresa libremente.

(1952)

PRIMAVERA

Tener otra vez veinte años, no pensar
sino en cómo pasan las barcas sobre el río,
en cómo se agitan faldas blancas
a la hora en que cae la tarde.
Tener, sí, otra vez veinte años, incluso
en esta Praga del 53.

(Praga, 1994)

Justo Navarro
(Granada, 1953)

A Justo Navarro se le ha situado en los aledaños de «la otra
sentimentalidad» como poeta intimista que muestra cierta inclinación por las formas métricas clásicas. Las inclinaciones
narrativas que Antonio Muñoz Molina señalaba en su libro
poético *Los nadadores* (1985) se han visto confirmadas posteriormente tanto en su poesía *(Un aviador prevé su muerte*, 1986)
como en su importante producción novelesca *(El doble del doble, Hermana muerte, Accidentes íntimos*, etc.), donde un escaso
fondo anecdótico hace más visible la honda subjetividad y el
lenguaje metafórico.

Como ha demostrado Rosa Romojaro, la poesía de Justo
Navarro juega de continuo con una serie ininterrumpida de
textos no sólo de la tradición literaria y de grandes poetas y
novelistas de diversas lenguas, sino también del cine, la pintura, el arte postpop, etc. Su culturalismo se revela raras veces
a través de la cita directa; más bien prefiere la alusión, el eco,
la resonancia artística. «Surge para la nueva poesía un mundo
poético insólito y prodigioso: la perfección está en la factura,
la originalidad en la materia poetizada, el prodigio en el resultado.» Nos asombra «la fusión entre el férreo cuidado formal de los textos y su liviandad» (Rosa Romojaro, «De perfección y misterio», *Puerta oscura*, 5, 1987, págs. 54-55).

Andrew Debicki ha indicado cómo en la poesía de Justo
Navarro «las imágenes sorprendentes y las notas humorísticas
también producen percepciones agudas de la realidad moderna» *(Historia...*, pág. 304). El juego de la metáfora inesperada y

chocante se combina con el misterioso *suspense*. Se evoca la tarde como una piscina o un «vuelo de cuchillos»: al fin su atmósfera resulta cargada con los ecos de una inquietante «llamada oscura» («Melodrama») o se describe el hospital «repleto de rumores», recordando un conocido verso de Baudelaire, con la chocante aparición de «buceadores» u «hombres-rana» («Extranjería»). El clásico y precipitado fluir del tiempo irreparable se convierte en la original y dinámica metáfora de «las horas azuzan sus jaurías» («Tregua extinguida»). En esta poesía hay sorpresa, vibración, misterio, y una expresión dinámica y original como pocas. Los críticos están de acuerdo en resaltar esta nota insólita: «Su poesía es abundante en recursos técnicos: rimas difíciles, adjetivación y encabalgamientos poco usuales contribuyen a crear un estilo ajustado, construido con la rara precisión de quien domina su oficio y descubre la cercanía de lo insólito, la equívoca simplicidad de la costumbre» (A. Jiménez Millán, «Un engaño menor», pág. 41).

OBRA POÉTICA:

Los nadadores, Córdoba, Antorcha de paja, 1985.
Un aviador prevé su muerte, Granada, Diputación Provincial, Col. Maillot Amarillo, 1986.
La visión (plaquette), Málaga, Ángel Caffarena, 1987.

MELODRAMA

La tarde esmerilada de naranjas y hielo
semeja una piscina: nítida luz de arpones
tan móvil como zumo. Desde los almohadones
la tarde nos parece sólo un amable vuelo
de cuchillos. Nadamos. Sobre los trampolines
agitamos linternas. Las hamacas de rayas
húmedas nos abrigan: ¿no recordáis las playas
de hace más de diez años? Alguien en los jardines
ha visto un animal del que no sabe el nombre.
Lo persigue. La orquesta toca un bailable, ausente.
Ofrece cada objeto —dulce, aunque nos asombre—
su claridad: qué limpia plenitud. De repente
alguien recibe (y todo se volverá ilusorio)
una llamada oscura desde algún sanatorio.

EXTRANJERÍA

Hôpital tout rempli de murmures

CH. BAUDELAIRE, *Les phares*

Un hospital repleto de rumores
hay fundado en el fondo: multiplica
la soledad de los buceadores
en el bosque de aletas. Tras la mica

de las hojas del agua, ¿quién acecha?
Las llaves del oxígeno herrumbrosas
no se mueven de pronto: es una flecha
la asfixia. La espesura de las cosas

vigila siempre: pálido conserje.
Como a través de una membrana plástica
el hombre-rana atisba, cuando emerge,
una avenida, la figura elástica

de un extranjero: yacerá de bruces
al encenderse las primeras luces.

FOX-TROT

Como panteras negras hay días de sigilo:
así la nieve cubre los vidrios de los autos.
Pule una luz sin filo
los bulevares lentos como animales cautos.

Como las celadoras que vigilan los cines
empuña una linterna cada cosa estancada.
Sin aviso ni fines
tanta paz nos abate de una sola punzada

certera: la ira fría, ¿no es la que más anula?
Como un atleta débil que recurre a la trampa,
así el tiempo simula
detenerse. Un revólver, en el reino del hampa

de las horas, apunta incesable y en vilo.
Hay días de sigilo como panteras negras.

(Los nadadores, 1985)

TREGUA EXTINGUIDA

La mañana tranquila exige su tributo
con el guante amarillo de una llama de aceite:
piensas en una rama a la que comba un fruto,
o en un país que tiene el ocio y el deleite

por hábitos. No obstante, traidores sin ardides
ni antifaces, las horas azuzan sus jaurías
de pronto: te presentan —aunque nada les pides—
el vil fuste y la impúdica barba de varios días

de un oficial caído en manos adversarias.
Esto te da el domingo: ¿es fastidio o enfado
o el encanto agridulce de las cosas precarias?
Y el mediodía entonces es un reino saqueado.

SEPTIEMBRE

All things uncomely and broken, all things worn out and old...
Are wronging your image that blossoms a rose in the deeps of my heart.

W. B. YEATS, *The lover tells of the rose in his heart*

Una linterna en alto: la rosa claridad
de la loña encendida
de los toldos. Llegabas. Dibujaba una herida
tu lengua en mi costado. Nos daba su piedad

el tiempo: era una nieve, casi paladeable,
de película muda.
¿Recuerdas el frufrú de la carne desnuda
en el jardín? Calmaba como la confortable

dulzura de saber que la vida es en vano,
y los placeres, lábiles.
Disfrutaban los cuerpos —desentendidos, hábiles—
de la indolencia leve del final de verano.

135

LUCIÉRNAGA

¿Te acuerdas de las últimas luciérnagas? Latía
su fulgor movedizo sobre la fronda ilesa.
Ahora que, caprichoso, el verano se enfría
y un aire de inclinada caligrafía inglesa
hace vibrar los cables y se instala en los setos,
las he visto otra vez. Me has cerrado los ojos
muy apretadamente: una trama de objetos
menudos, de neón, bulle como despojos
de luz. El agua es una seda estrujada
en la piscina: un viento fugaz nos acurruca.
¿No brilla una luciérnaga en tu córnea, parada,
cuando tocas mi carne y me besas la nuca
y acatamos felices la noche de verano?
Vivir es esta dulce disolución en vano.

MUERTE EN MITAD DE LA PRIMAVERA

Lisa como la piel de los delfines
es la conciencia de morir: seguro
tobogán o corriente helada: cines
donde la luz regresa y vuelve oscuro
el pálido vibrar de la pantalla.
Me despierto de noche: palpo un muro
de seda transparente y fosca: estalla

algo dentro de mí: Miré palmeras,
imágenes en las carrocerías
de los taxis, las libres cabelleras
de luces en los puentes. ¿Correrías
sin fin y con final? Un asesino
sus agujas dispone: son las mías
las sienes apuntadas: punzón fino

como la llama del invierno: azul
y blanca y enfriada como un faro
fluorescente. Si camarada ful
es incluso el amor: su cueva, amparo
fugaz como una gota de mercurio—
¿qué me queda? ¿Mirar el verde claro
del agua y de las plantas como augurio

de un infinito giro de planetas?
Que una droga me acune en aguas quietas.

FUERA DEL MUNDO

Acabado el placer, ¿no es la tarde más viva
un cazador perdido que se queja en el monte?
La luz, a la deriva
como la irrescatable línea del horizonte

siempre en fuga: se extingue en los objetos esa
claridad enguantada de los laboratorios
de noviembre. No pesa
morir entonces: cuando resultan abalorios

las joyas, y deprime una indolencia mansa
de gusanos de seda tejiendo sus capullos.
Y cada cosa cansa
como un joven endeble, vergüenza de los suyos.

SUNDAY MORNING

El tedi, l'unic filtre
per allargar la nostra vida inútil.

J. CARNER

La mañana cansada: ¿no os asombra que irradie
el exiguo esplendor de una lámpara a pleno
mediodía? Se piensa en tardes en que nadie
nos llama ni responde. Al final de un estreno,

a esta desolación es parecido el clima
de los cines vaciados: el abandono suelta
tenues y taciturnos animales. Lastima
la claridad: su peso es una aguja esbelta

y afilada en las cosas. Mirad un buque estanco
en la espesura blanda del agua detenida:
así de oscuro el tedio, bajo el influjo blanco
de un domingo de nubes, os alarga la vida.

PISCINAS AL FINAL DE LA TARDE

Delicada os avisa
la muerte. Por ejemplo: ese reposo
de la hora en que el agua lisa
es un gong silencioso.

(Un aviador prevé su muerte, 1986)

Miguel Casado
(Valladolid, 1954)

Profesor de literatura, traductor, crítico y animador de revistas, su obra poética destaca entre sus coetáneos como una aventura estética lúcida y apasionada. Pere Ballart lo considera como perteneciente a «una galería de poetas de intención pictórica», ya que su poesía busca con frecuencia inspiración en la pintura o en el cine. Su libro *Falso movimiento* toma el nombre de una película de Wim Wenders, el título de *La mujer automática* está tomado de un cuadro del pintor norteamericano Edward Hopper y una sección entera del mismo, «La sopa», adopta una época de Kandinsky como motivo.

En el libro *Falso movimiento* podríamos decir que Casado, con un lenguaje lúcido y preciso, orienta su mirada hacia «lo cotidiano, sin idealizarlo ni trascenderlo» (en sus propias palabras). Pero, como dice Antonio Ortega, «el Mundo no es sólo realidad, es también experiencia. La del poeta debe ser ante todo verbal, con las palabras se interroga, se alude, se ordena el mundo» («Modos de mirar», *El Crítico*, 21, octubre de 1993).

Pero es en *La mujer automática* (1996) donde Miguel Casado halla su voz lírica más personal. La palabra poética, por encima de la efusión emotiva o de las ideas abstractas, intenta fijar escenas o imágenes —objetos, gestos o paisajes— en su plena plasticidad. Los poemas a veces reproducen, en sus contornos precisos, golpes de mirada, que retienen (como «flashes») una pintada o pegatina sobre el cristal o parachoques de un automóvil («En el cristal de una furgoneta»). Pere Ballart constata cómo ofrece: «el registro, depurado de todo sentimiento explícito, del espacio, el color, los volúmenes y los cambios de luz de la situación que evoca» ... «por encima del valor estético intrínseco de su audaz aventura expresiva, plástica y minimalista, parece incuestionable que en la poesía de Casado hay también una inteligente aproximación a la vida, sus pasiones y sus miserias, y que esta experiencia, gráficamente representada en la desnudez de su nervio esencial, comprimida con tanto talento en imagen simbólica, es la que en último término acaba por dotar del máximo interés a su verso de lacónica nitidez» (Pere Ballart, «Ejercicio de líneas», *Quimera*, 157, abril de 1997, págs. 77-78). Es una manera de contemplar los objetos con una mirada que les sabe arrancar su hondo misterio y una cierta dimensión metafísica.

En su poesía hallamos la reflexión filosófica de hondos problemas: ser y no ser, realidad y apariencia. Como observa Antonio Ortega, Miguel Casado introduce en el texto «una nueva perspectiva, el punto de vista de una mirada que torna lo sencillo, la normalidad, serenamente perturbadora, crítica; que nos impone (éste es el lugar del lector) su propia e íntima percepción de la materia, su sentido de la experiencia» *(La prueba del nueve*, pág. 211).

OBRA POÉTICA:

Invernales, Alcalá la Real, Ayuntamiento, 1985.
Inventario, Madrid, Hiperión, 1987.
La condición de pasajero, Mérida, Ed. Regional de Extremadura, 1990.
Falso movimiento, Madrid, Cátedra, 1993.
Para una teoría del color, Gijón-Oviedo, Nómadas, 1995.
La mujer automática, Madrid, Cátedra, 1996.

CON FRECUENCIA, EL QUE MIRA
un río suele limitar su curso
entre dos curvas: una y otra vez sigue
su mirada el sentido de las aguas
o lo remonta. Con frecuencia, surge
por la curva de arriba algún objeto,
una rama que flota
cabeceando sus hojas brillantes,
con flores que dispersan poco a poco
los pétalos; después desaparece
en la curva de abajo.
Entonces: bruscamente, como sobria
negación, sin anuncio,
llega el conocimiento.
Pero el que mira el río
¿qué ha conocido? Ha visto que la rama
hacía siempre el mismo gesto y que era
siempre la misma rama; igual también
la superficie al conducirla. Estar
y no estar. No hay ningún cambio. Tal vez
lo que se observa cada día tenga
con la realidad
extraños vínculos, del mismo modo
que la apariencia de las cosas corre
diferente del tiempo.

(Inventario, 1987)

AUNQUE ERA LA PRIMERA VEZ,
al llegar acudieron en seguida
sensaciones de otros lugares
semejantes. Lo comentábamos
y nos vino el recuerdo de los dos
viajes a Italia, su distancia
de cinco años: la greda y el trigo
al sur de Siena, el agua de los lagos
minúsculos. Ahora, aquí
ya todo parecía nuevo, era otro modo
de mirar, sabíamos también
cuál era. Sobre la extrañeza
de las imágenes, dominó por un momento
nuestra historia: aprender juntos,
lo mismo, esas gotas
de jugo agridulce, escasas siempre
pero distinguir su sabor un poco
más cada vez, la raíz y sus brotes,
el tallo, las flores blancas.
Se ponía el sol
justo detrás del minarete,
lo orlaba con un nimbo dorado,
levantaba el rojo de la tierra.
Esto apenas son palabras, la conversación
se deshila, es casi silenciosa,
el té, en un gesto se enciende
la cara de brillos mínimos,
algunas comparaciones, señales
con los dedos hacia el tumulto
debajo de la barandilla.

NO HACE FALTA QUE SE TRATE
de un día distinto, el cansancio
en medio de la jornada, o la respiración
difícil o estás triste,

te pesa vivir y la conciencia
constante de ello. Esa especie
de cortina pastosa, el aire seco
de los radiadores, que lo cierra todo,
una imposibilidad de levantarse
o de estar quieto, de permanecer.
Y hay algo entonces
que advierto de pronto, un giro, en tu voz,
algo en tu cara, en lo que me cuentas,
o simplemente miras,
te veo mirar. Me sorprende siempre
cuando ocurre, su modo abrupto.
No persigo ningún modelo
en las estrellas, porque lo tengo aquí;
nada como esta erupción de vida
me afirma tanto en la materia. A veces
con el coche subimos y bajamos el páramo
y sus declives, la tierra está ocre,
gris negruzca, blanca
como en lenguas entre el primer verde,
y brilla de pronto el sol de invierno,
enciende el color;
me fijo en ello con ansiedad, casi
no me cuido del volante, la línea
recta de los estratos, su alternancia,
el capricho de los surcos.

(Falso movimiento, 1993)

CUANDO SE ACERCA MARZO[9],
el invierno en sus últimas mañanas
se finge desvalido; la certeza

---

[9] Por deseo expreso del poeta ofrezco la versión de *Para una teoría del color* (1995), para mostrar así lo que el propio autor llama «esa renuncia al brillo que las palabras imponen» (Carta, 15 de agosto de 1999) con respecto a la forma inicial del poema, donde los tres últimos versos decían: «los destellos ilusos de los óleos, / desviste los objetos, / pulidos de apariencias, incoloros» *(Invernales,* 1985).

de la helada nocturna lo protege
de los bordes de sol que, entre esqueletos
de geranios, se amplían.
Pero el viento descubre
la fuerza oculta y agónica del tiempo,
acabándose siempre,
el mismo siempre. Es su mirada terca
la que nunca renuncia, la que lima
los destellos de luz en la pintura,
desviste los objetos,
los pule de apariencias, incoloros.

(Para una teoría del color, 1995)

ELLA LE VISITA EN LA CIUDAD[10],
sube hasta su cuarto
sin avisarle. Sólo cuando piensa
en irse, advierte que en la calle
ha caído la bruma.

Trozos de papel de plata
entre las colillas del cenicero,
luna pálida en el vendaval.
Tumbado, escucho
carreras de gatos sobre mi cabeza,
empiezo a pensar en el otoño.

Quien se entusiasma conoce
el tiempo de la medida.

---

[10] Casado evoca con gran precisión una escena concreta envuelta en una atmósfera exacta («en la calle ha caído la bruma»), datos visuales, acústicos («carreras de gatos sobre mi cabeza»), el paseo vespertino y el lugar de la despedida («el puente sobre el arroyo»), pero, a fin de cuentas, lo que el poema ha captado es la imagen de una experiencia, un retazo de vida en su plena plasticidad.

El tiempo del balance,
cuando guarda los papeles en carpetas,
y los apila en una torre,
bien ordenados, con otras carpetas.

Recorrían el camino a pie,
o paraba un vehículo agrícola,
subían en el remolque,
devueltos a casa en esa lentitud.
El lugar de las despedidas
era el puente sobre el arroyo.

TAMBIÉN LA TARDE DE OTOÑO
parece de primavera:
el color subido del cielo
y los campos, hierbecillas verdes,
se encienden los árboles
con transparencia anaranjada.
La máscara húmeda de la tierra.

No consigue ver las cosas,
la sucesión lenta
de las necesidades y los gestos,
oír a quien le habla.
La vida, dice,
es el tiempo que sucede al desastre.

Una y otra vez se propone
colocar las tejas. Recuerda
que se llenaba la pared de manchas
y luego círculos grises de hongos,
y su indiferencia de niño.
Ahora abre la ventana los días con sol.
Pero en una esquina
hay ya otro cerco húmedo,
y lo ve extenderse.

Acude al mercado
con un cuévano de panes,
quieto entre dos mesas de verduras.
Pequeñas monedas poco a poco.
Los habitantes de las calles extrañas.
Acude una vez al mes.

Largo se hace el invierno,
el camino hasta el río,
las tardes sin luz.
Suena la radio en casa.

TE GUARDO UN POCO
de luna de invierno,
por si cuando vengas
no queda ya esta luz,
tan clara al irse,
o —como veo ahora—
vuelve a nublarse. Era
pequeña y blanca, dulce,
creciente, en los bordes
borrosa. Y el azul pálido
se iba amoratando alrededor,
sobre el foco de las vías.
Era como a veces
tú la señalas y sales a mirarla,
un tiempo corto
porque hace frío.

EN EL CRISTAL DE UNA FURGONETA
muy sucia, ennegrecida
de polvo, un letrero dice:
Yo, y después el dibujo en rojo

de un corazón, *la madera.*
Sobre el parachoques de un coche
un perro desfila marcialmente
con una bandera española.

Llega a llamar por teléfono
con la chaqueta en el brazo;
como fuma, le cuesta mucho
ir tecleando los números, tarda
en resolver el enredo. Una chica
espera turno tras la columna
con los brazos cruzados; él
no la ve, impaciente
pero quieta, sin gestos. La máquina
tragaperras emite luces amarillas
con un ritmo continuo. Coplas
rocieras en la radio.
«Si ya te digo que tú y yo
tenemos mala suerte», baja la voz
y echa monedas.

(La mujer automática, 1996)

147

José Gutiérrez
(Nigüelas, Granada, 1955)

José Gutiérrez inicia su actividad poética en un momento en que todavía gravita sobre los jóvenes el pesado legado culturalista, pero el suyo, muy visible en sus primeros libros, ya no es un culturalismo ostentoso, sino que, con frecuencia, se convierte en simple pretexto para reflexionar sobre la vida y la belleza. Recordemos su poema «Narciso» de *Espejo y laberinto*, que, dejando de lado la vieja historia del conocido mito griego, se limita a una meditación sobre la hermosura física: «Sus ojos encendían las pasiones», «Porque amó la belleza de su rostro / y los miembros radiantes como acero». El lenguaje escogido y el intenso sentido musical visten un culturalismo que se va mitigando a lo largo de su producción poética.

José Gutiérrez escribe una poesía intimista que otros llamarán «poesía de la experiencia», pero sabe mantener el sentido de la armonía clásica, la forma cuidada y un apoyo constante en la tradición poética. Como dice Justo Navarro en una presentación de nuestro poeta: «En el poema nuestra memoria personal se funde con la memoria literaria, con las tradiciones. Las palabras de los poemas suelen tener la música de otras palabras ya dichas», pero el poeta —diría yo— sabe imprimirles un sello personal muy propio. Su pensamiento lírico y sus emociones, intensas y sensuales, giran sobre viejos temas como la vida, la belleza, el tiempo y el amor. Mientras muestra una conciencia clara del paso del tiempo, intenta captar la sensación fugaz y apresar sus emociones para cons-

149

tatar que sólo ha logrado recoger «un puñado de ceniza» («Desolación y fuga», «Del comercio con los libros»).

Sus poemas, de extrema intensidad y novedad, hablan de amor en un mundo urbano. Evocan, en un tono de tristeza y melancolía, el paso irremediable de la juventud para acabar en el desencanto. El poeta cuenta con el fuego de la pasión y la inteligencia para «transformar la experiencia en emoción mediante el lenguaje», en palabras del propio Gutiérrez.

Como ha escrito E. Molina Campos, «el resultado es una poesía de hermosísima factura, en la que las más límpidas y exactas palabras, convocadas y concertadas por el poeta, lucen, juntas, con trascendido resplandor» («Los poetas de "Silene"...», pág. 35). Cierta sensibilidad neorromántica se percibe en sus poemas más auténticos, que recuerdan, como han señalado algunos críticos, oscuros lazos con los tres poetas: Hölderlin, Cernuda y F. Brines, entre otros. Tono elegíaco, esteticismo y cierta sensibilidad clásica imprimen su nota distintiva a la voz lírica de José Gutiérrez dentro de una promoción de poetas andaluces que han enriquecido considerablemente la poesía española de las últimas décadas.

Obra poética:

Ofrenda en la memoria, Granada, Silene, 1976.
Espejo y laberinto, Málaga, El Guadalhorce, 1978.
El cerco de la luz, Granada, Ánade, 1978.
La armadura de sal, Madrid, Hiperión, 1980.
De la renuncia, Madrid, Trieste, 1989.
Poemas 1976-1996, Madrid, Huerga y Fierro, 1997.

DEL COMERCIO CON LOS LIBROS[11]

De frecuentar los libros,
de sobornar los días
con la triste moneda de unos versos,
queda un afán estéril.

De esa antigua pasión
por apresar el tiempo,
¿queda algo en estos versos
inútiles, gastados
como vieja moneda ya en desuso
con la que en vano
tratamos de comprar a la memoria
el fuego de otros días?
                              Sólo quedan cenizas
donde latió la vida.

DESOLACIÓN Y FUGA

Vestida va del color de la noche,
bellísima y altiva como la madrugada.
Al apuntar el alba
subirá al primer taxi,
dejándome su aroma entre las manos
como un puñado de ceniza.

---

[11] Por deseo expreso del autor ofrezco los textos en la versión de *Poemas (1976-1996)*, aunque casi todos ellos ya aparecían en el libro *De la renuncia*, publicado en 1989.

EL AMOR Y LAS CIUDADES

Muchas veces soñaba tu ciudad,
y hasta llegué a perderme por sus calles
una noche de invierno
cuando supe de tanta soledad
y decidí buscarte
por encima de todo y contra todos.
En vano recorrí calles, plazas sin luz,
los viejos cines mudos
y los bares a punto de cerrar.
No te encontré.
            Contra lejanas rocas
rompía el mar su oscura cabellera,
gritándome tu nombre.

Hoy tú eres mi ciudad.
Bajo la lluvia, ciega más tu luz
y en los cabellos ponen su punto de maldad
las gotas por los rizos.
            De regreso,
inciertos como el alba,
mientras el agua borra los contornos
de otro tiempo perdido,
voy pensando tu cuerpo como un río
—el río que me arrastra de tu mano—,
tus brazos como dársena
en donde anclar herido.

LECTOR DE RILKE

Del antiguo fervor por las palabras
ya me queda tan sólo la memoria
—poco recomendable—

de quien se supo joven,
dudosamente escrita en olvidados cuadernos
ajados por el tiempo.

Testamento y herencia, algunos versos raros,
oscuros, sin medida,
y un gastado puñal —a medio abrir el libro—
señalando la página prohibida
de la triste sentencia al fin cumplida:
«Hemos envejecido no solamente en años
sino en nuestros propósitos también.»

BOLERO[12]

Para que lo pisaras
dejé mi corazón
temblando en el asfalto
oscuro de tu calle.

Para que tú aplastaras
su inútil sobresalto
al encontrarte,
dejé mi corazón
como perro aguardándote.
Mas pasaste de largo.

Desde aquel día pagas tu desdén
escuchando ladrar en tu ventana
al perro en cuyas fauces
rindió mi corazón su atrevimiento.

---

[12] El poeta sustituye en esta versión de *Poemas* de 1997 el abarrocado título «Ladridos por latidos» por el más simple de «Bolero» y elimina también la cita inicial «¡ay perro en corazón, voz perseguida!», tomada de «¡Ay voz secreta del amor oscuro!», uno de los *Sonetos del amor oscuro* de F. García Lorca. Otros poemas suprimen simplemente la dedicatoria a algún amigo.

LA VIDA VIEJA

... esa parte de la vida
más allá de la cual no se puede pasar
con propósito de volver.

DANTE, *Vita Nuova*, XIV

Cuando pasen los años
y los días se tornen oscuros sin remedio
para quien nada espera de la vida,
yo elegiré quizá
ese extraño placer de vivir en hoteles
de ciudades fastuosas
que no tuve ocasión de conocer
cuando, joven aún, buscaba el cuerpo
placeres más intensos, el latido cercano
de tanta belleza perdida
y de aquella que pude retener,
dejándome cegado para siempre
con su luz tan efímera.

El placer de vivir en los hoteles
colmaría quizá esa vida desierta;
nómada, solitario y silencioso
de una ciudad a otra
intentando olvidar lo que no tuve,
mientras la juventud sigue pasando
frente a quien fue vencido por el tiempo.

EL DERROTADO

Cerrar así la noche, con unos pocos versos
que el tedio y la tristeza te han dictado,
no debería ser oficio de quien busca

el placer noble de sentir la vida
por encima de todo afán pequeño
y simulado; así este vicio estéril
de la literatura:
                    ganarías
los vulgares elogios, el desprecio pueril,
cierta fama que nunca has deseado.
Siempre el mismo final,
y lo que ha de quedar —si es que algo queda—
tú ya no lo verás.
Por eso sabes lo inútil
de cualquier trascendencia.

Cerrar así la noche,
con botellas vacías, con el hielo agotado,
llenos los ceniceros y el humo suspendido
en el aire viciado, no es un lujo
que quieras para ti, sino la certidumbre
de haber sido —hoy también—
vencido por la vida.

DE LA RENUNCIA

Si con el tiempo muere la quimera
de buscar una luz que nunca es nuestra,
si los sueños se tornan negra sombra
bajo un cielo cerrado de tormenta,
si el lugar del amor es la amenaza
y su desnudo un brillo de monedas,
si el placer no nos basta y la costumbre
es ese espejo roto, sin belleza
dobléguese la vida y que la vana
memoria del silencio sea tu herencia
escrita en el final que nos condena.

(De la renuncia, 1989)

ANTONIO MACHADO[13]
(COLLIOURE, 1939)

Estos días azules y este sol de la infancia

A. M.

Este día de niebla que declina
supo del espejismo verdadero,
del sueño de la sombra, tan certero,
de la canción secreta que ilumina
el tiempo. Como lenta y terca espina
los años lo persiguen ya postrero,
mientras cierra los ojos y el sendero
se abre de nuevo azul: por él camina.
No recuerda su nombre ni la estancia,
si es la luz de los campos de Castilla
la que dora la tarde o si la luna,
enredada en jazmines de la infancia,
lo acerca hasta aquel patio de Sevilla.
La muerte es la nodriza que lo acuna.

(Poemas 1976-1996, 1997)

INVOCACIÓN Y ELEGÍA

A la memoria de mi madre

Ha llegado al final de su camino,
su natural bondad truncó la noche.
Como rama de almendro en la memoria
florecerá su ejemplo, cuando el tiempo

---

[13] Al principio del poema y como perfecta ambientación cita J. Gutiérrez el último verso que escribió Antonio Machado antes de morir, según la edición de sus *Poesías completas* preparada por Manuel Alvar. A petición del poeta ofrezco aquí una versión reciente en que Gutiérrez cambia el último verso de *Poemas* («en sus brazos la muerte ya lo acuna») por el que va aquí.

transcurra y su recuerdo sea esa lluvia
humilde que acompaña a quien espera.

Soy ahora ese niño que la espera
impaciente asomar por el camino,
volverá a resguardarme de la lluvia
que amenaza y del miedo de la noche
oscura de la infancia, cuando el tiempo
borre mi corazón y su memoria.

Qué consuelo me deja su memoria,
qué suplicio feliz es ya la espera
de reunirme con ella donde el tiempo
protege como sombra del camino,
y es el sueño antesala de la noche
como rayos de sol entre la lluvia.

Sentado junto al fuego, si la lluvia
arrecia, yo regreso a la memoria
de los días de invierno, cuando en noche
de viento no dormía por la espera
de rebuscar las nueces del camino:
regalo inesperado del mal tiempo.

Todo lo iluminaba, hasta el mal tiempo
cedía en sus rigores y la lluvia
alejaba sus nubes del camino,
por donde nos llevaba su memoria
de la mano los días que la espera
la sumía en la angustia de la noche.

Mariposas luciendo en la alta noche
fría, cruces de sal para el mal tiempo,
luciérnagas de aceite, si la espera
se alargaba o los truenos con la lluvia
devolvían el miedo a la memoria
de quien teme el peligro del camino.

He salido al camino: fiel la noche
me lleva a la memoria de aquel tiempo
de lluvia mientras sueño que aún me espera.

(Inédito)

PUESTA LA VIDA AL TABLERO

Como cuando de niño jugaba al ajedrez
y ninguna otra cosa ocupaba mi tiempo,
con la misma pasión, con igual avidez
descubrí en la poesía el mejor pasatiempo.

Y aunque con el tablero no llegara a maestro,
adquirí cierta técnica y secretos del juego.
Tampoco con la rima fui demasiado diestro,
mas supe que escribir es jugar con el fuego.

Aparcado el tablero, puse después la vida
al servicio del verso. Buscando mejor suerte,
medí mi fuerza en guerra fratricida
contra el tiempo: volví a perder. Ganó la muerte.

Como cuando jugaba al ajedrez
o era la poesía mi pasatiempo,
frente al tablero oval, alguna vez
vuelvo a ser ese niño que dilapida el tiempo.

(Inédito)

Julio Martínez Mesanza
(Madrid, 1955)

La poesía de Martínez Mesanza, sobre todo en las varias ediciones de su libro *Europa,* respira cierta atmósfera épica. Se expresa en poemas breves, pero en tono grave y solemne, mientras canta, en sonoros y rotundos versos, hechos, personajes y pueblos de la lejana historia (antigua y medieval) de Europa y su vecina Asia. Batallas, carros de combate, jinetes, torres y doncellas desfilan por sus endecasílabos. Lo más llamativo de estos cantos es el tipo de ética y valores que exalta o sobre los que reflexiona. Parece una ética de ánimos fuertes o heroicos, que recuerda historias brillantes o ejemplares, que no simpatiza con la debilidad o con lo decadente, y puede, por momentos, abominar del progreso como portador de corrupción, libertinaje, injusticia o irreligiosidad: «y su progreso es un deporte ateo».

Pero los poemas de *Europa* no pueden ser tachados de patrioteros, retrógrados o fascistoides. Sería no comprender este hermoso libro e ignorar aspectos esenciales del mismo. Como observa Trevor J. Dadson:

> canta la guerra y todo lo que tiene que ver con la guerra, pero no es un poeta belicista. Su poesía es un canto infinitamente tierno, infinitamente humano de los sentimientos de la guerra; no le interesan tanto las hazañas de los vencedores, como la tragedia y la tristeza del desertor, del vencido, del cobarde, del cautivo» («El otro, el mismo», pág. 83).

159

Al reflexionar sobre verdugos y víctimas, la voz del poeta siente al mismo tiempo ambas cosas y los considera destinos inseparables del ser humano («Víctima y verdugo»).

Precisamente, por la extraordinaria calidad de su verso, por la intensidad concentrada de sus estrofas o poemas, además de esta evocación bella, épica, pero, al mismo tiempo, postmoderna en su refinada meditación sobre la guerra y las brillantes historias del pasado, J. J. Lanz considera *Europa* «el poemario más elaborado y el proyecto poético más ambicioso de la última generación española» y lo proclama «uno de los libros más importantes y maduros de la generación de los años ochenta» *(«Europa* y otros poemas», *El Urogallo,* 64-65, 1991, 95).

Alguien podría decir, como observa Dadson, que Mesanza «sucumbe ante un patriotismo fácil y chillón. Nada más lejos de la verdad. Aquí, si se canta la gloria de la victoria, el heroísmo, se pasa enseguida a sus secuelas, a sus realidades más crudas» («El otro, el mismo», pág. 86), ya que todo lo ve desde perspectivas múltiples, desde enfoques, a veces, contrarios. Es sutileza y refinamiento postmoderno.

OBRA POÉTICA:

Europa, Madrid, El Crotalón, 1983.
Europa, Sevilla, Renacimiento, 1986.
Europa (1985-1987), Valencia, La Pluma del Águila, 1988.
Europa y otros poemas (1979-1990), Málaga, Puerta del Mar, 1990.
Las trincheras, Sevilla, Renacimiento, 1996.

EGISTO[14]

Aquel que no merece luz ni casa,
que antes de haber nacido ya ha pecado.
Aquel que miente y sobrevive en vela,
que ama a la esposa del mejor guerrero.
Él triste. Aquel que no es feliz ni hermoso.
Aquel que usurpa, Egisto, aquél, la sombra.

DE AMICITIA

A José del Río Mons

Si tuvieras al justo de enemigo
sería la justicia mi enemiga.
A tu lado en el campo victorioso
y junto a ti estaré cuando el fracaso.
Tus secretos tendrán tumba en mi oído.
Celebraré el primero tu alegría.

---

[14] Viejas leyendas lo convierten en personaje tenebroso y detestable: hijo
del amor incestuoso entre Tiestes y Pelopia (v. 2), asesinó a su padre adoptivo
Atreo y se apoderó de Micenas. Expulsado de la ciudad por Agamenón, apro-
vechó la partida de éste a la guerra de Troya para seducir a su esposa Clitemnestra y con ella asesinarlo a su regreso. Después fue muerto por Orestes. Su
historia inspiró tragedias a Esquilo, Sófocles y Eurípides. L. A. de Cuenca
dice: Mesanza «es el primer poeta del mundo que ha cantado a Egisto, el
amante de Clitemnestra», «cuánta comprensión y hasta cuánta ternura gasta,
humanísimo, el poeta en el tratamiento del adúltero» [L. A. de Cuenca, *Etcétera (1990-1992)*, pág. 97].

Aunque el fraude mi espada no consienta
engañaremos juntos si te place.
Saquearemos juntos si lo quieres
aunque mucho la sangre me repugne.
Tus rivales ya son rivales míos:
mañana el mar inmenso nos espera.

(Europa, 1986)

VÍCTIMA Y VERDUGO[15]

Soy el que cae en el primer asalto
entre el agua y la arena en Normandía.
Soy el que elige un hombre y le dispara.
Mi caballo ha pisado en el saqueo
el rostro inexpresivo de un anciano.
Soy quien mantiene en alto el crucifijo
frente a la carga de los invasores.
Soy el perro y la mano que lo lleva.
Soy Egisto y Orestes y las Furias.
Soy el que se echa al suelo y me suplica.

(Europa, 1988)

REMEDIA AMORIS I

Amigos, el amor me perjudica:
no permitáis que caiga nuevamente.
Podemos emprender una campaña

---

[15] Merece ser recordado el comentario de Trevor J. Dadson a este poema: «Como si fuera un telescopio al revés, el poeta nos lleva desde la época moderna (el asalto y desembarco en Normandía el día D [junio de 1944]) a los tiempos clásicos (Egisto y Orestes), pasando por la Edad Media y las Cruzadas. Los dos versos: "Soy el perro y la mano que lo lleva" y "Soy el que se echa al suelo y me suplica" subrayan la indisolubilidad del concepto de víctima y verdugo» («El otro, el mismo», pág. 80).

o el estudio de textos olvidados:
algo que me mantenga distraído.
No me habléis de la dulce voz de aquélla
ni del hermoso talle de esa otra.
Quemad todo retrato, ensordecedme,
poned sus armas en mis propias manos:
si sé el secreto su poder se extingue:
ellas son incapaces de ternura.

REMEDIA AMORIS II

Los soldados asirios nunca amaron.
Así se afirma en un tratado antiguo.
Si no te sirve el caso, a mí tampoco,
pero deja el amor para mañana.
Si desprecias la guerra, no guerrees:
dedícate al estudio, por ejemplo,
hay campos no trillados todavía:
el imperio kitán, Saray quemada,
la diplomacia escita, el Siglo Oscuro,
pero deja el amor para mañana.

LABERINTO[16]

He ordenado trazar un laberinto
de muros elevados e inasibles
y he mandado encerrar en sus tinieblas

---

[16] Evoca el mito del laberinto de Creta, construido por Dédalo a las órdenes del rey Minos, hijo de Zeus y de Europa. Allí encerró Minos al Minotauro, monstruo de cabeza de toro y cuerpo de hombre, en el cual logró penetrar Teseo, héroe ateniense que se presentó como un desconocido («un hombre sin patria»), que, al fin, consiguió matarlo. El poeta parece querer dar al monstruo un sentido simbólico: ¿la pasión o la ambición? Dadson apunta a un enfoque crítico de carácter histórico: «*Europa* puede que sea un intento de entender nuestro continente, sus orígenes y su posterior desarrollo, de ahí las referencias a Minos (hijo, como, hemos dicho, de Europa) y su laberinto» («El otro, el mismo», pág. 92).

a un monstruo que hace tiempo alimentaba:
solamente conozco yo su nombre
y por qué no perdona al indeciso.
Nunca paseo por sus negras calles,
no sé si por temor a conocerme.
De noche me despiertan los opacos
alaridos de víctima y verdugo.
Mi obra, entonces, me inquieta, y no consigo
recordar la razón que me ha impulsado
a recibir con sangre al visitante.
Me dicen que vendrá un hombre sin patria
y que penetrará en el laberinto,
buscando sin terror su oscuro centro:
cuando la espada hiera al monstruo infame,
mi corazón conocerá el descanso.

ESTELA VICTORIOSA

No di ninguna ley a pueblo alguno.
Quise arrancar su estupidez. Me llaman
rey de reyes. Da igual cómo me llamen.
Querían leyes para las usuras:
no estoy dispuesto a consagrar el crimen.
Dejan de molestarme ya los hombres:
duermo en las sucias cuadras, lo prefiero.
Duermo siempre en un carro de combate.
Me dicen que en las tierras del oeste
la muchedumbre elige a sus tiranos.
Hacia el caduco oeste me encamino.

164

ENCUENTRO
EN EL MONASTERIO[17]

Cuando alargó la mano, por sus trazas,
pensé que se trataba de un leproso.
Al principio no vi su gran anillo
y no supe advertir, indiferente,
que algo solemne su ademán tenía.
Levantó el rostro, y vi que estaba ciego,
que le habían cegado, mejor dicho,
pues sus ojos tenían cicatrices.
Me estremecí, sabía ya quién era.
Vino a mi mente un resplandor violento,
la púrpura y el oro en Hagia Sofía.
Besé sus manos y abracé a mi César.

CONTRA UTOPÍA II

Han vuelto a emborracharse los marinos:
otra vez hablan de un país incierto
que dicen conocer. En esa tierra
no existe la codicia y sólo leyes
benignas la gobiernan. Eso dicen.
Pero no se pondrán jamás de acuerdo
sobre el lugar exacto en que se encuentra.
Los más osados quieren que mi reino

---

[17] Sin nombrar al personaje, el poeta evoca la leyenda de Belisario, general
bizantino *(ca.* 494-565), nombrado por Justiniano primer general del Imperio, que reconquistó África a los vándalos y ocupó Sicilia, Nápoles, Roma, a
la que liberó de los ostrogodos. Sus victorias suscitaron envidias en la corte de
Constantinopla. Implicado en una conspiración, cayó en desgracia el año 562.
Se dice que Justiniano le hizo sacar los ojos y confiscar sus bienes, aunque esta
leyenda de un Belisario ciego y mendigo, a que alude el poeta, no tiene base
histórica.

se asemeje al país de sus visiones,
y se ha creado una hermandad secreta
cuyos fines no ignoran mis espías.
Pero con esas gentes es preciso
tener cordura: que hablen. Si existiera
su soñado país, sería un fraude:
ningún hombre en sus fábulas he visto,
sólo un plan sin relieve y una vida
sin amigos, caballos ni horizontes.
Sólo he visto un poder que odia a la sangre,
y predestinación, y ley que dice
derecho y no deber, y ley que castra.
Que los marinos beban cuanto quieran:
si existe ese país que ofende al hombre,
asolaré en justicia sus dominios.

SANTO OFICIO

Hay una casa que no roza el tiempo.
Tiene torres espléndidas y oscuros
corredores. Sus salas están llenas
de claros y pacientes manuscritos.
Una raza distinta vive en ella:
varones para quienes la justicia
debe ser majestad y ser distante.
La eternidad los hace ser solemnes
y hace que sean pocas sus palabras
y su sentencia la hace irrevocable.
No malgastan su tiempo con sofismas;
saben que la opinión tiene mil labios,
es un monstruo ridículo y versátil.
No dan valor alguno a lo que opinan
los hombres inconstantes. Los mil labios
de la opinión se cierran frente al dogma.

SANCTA DEI GENETRIX

Virgen llena de gracia, impera siempre.
Dulce abogada, quita de mis ojos
el velo del orgullo y de mis labios
las palabras que para nada sirven.
No puedo enumerar lo que desprecio
y aún me son gratas demasiadas cosas.
Pero diré que hay una infame estirpe
que deja sin valor nuestro lenguaje:
su libertad es libertad de usura,
su paz es el escudo del injusto
y su progreso es un deporte ateo.

(Europa y otros poemas, 1990)

TARTARIA

Cuando a mi estéril corazón me vuelvo,
por las eternas dudas asolado,
pienso en Tartaria, en gélidos desiertos,
y una sombra comienza a tomar forma
y una forma se encarna lentamente,
mientras mi débil voluntad conquista.
Deseo entonces que el jinete eterno,
a quien turban inmensas lejanías,
lleno de desazón, se ponga en marcha.

LAS TORRES SON IMAGEN
DEL ORGULLO

Las torres son imagen del orgullo.
Los hombres, cuya vida es breve y frágil,
gastan todo su tiempo en alzar torres.

167

Y una torre no enciende la esperanza.
Incluso la que guarda las campanas
y espera a las cigüeñas es culpable.
Me he cansado de oír los disparates
de los que viven dentro de la torre
y de los que se arrastran a su sombra.
Me asquea su interior y me ha cegado
el reflejo del sol en sus ladrillos,
porque las torres son oro y son sangre.
La polvareda que al caer levantan
no debe entristecerme ni sus ruinas
llevarme a meditar sobre el destino
del poder, la ambición y la belleza,
sino hacerme salir de las prisiones
del enajenamiento y liberarme.

CUESTIONES NATURALES

Bien mirado, las plantas son monstruosas
y un bosque, una reunión de aberraciones;
y las bestias que vuelan o se arrastran,
sin saber para qué, son repugnantes,
aunque no todas tengan el ingenio
alabado y maldito de la araña.
Y bien mirado, la perpetua guerra
es la prolongación de la infinita
perversidad de la naturaleza
con otros medios y los mismos fines.
Y, mientras, sólo a tientas anda el alma.

CUESTIONES NATURALES II

Vagas estrellas que arden para nada;
muertas lunas que surcan el vacío;
el cielo que vigila nuestro insomnio,

y, aquí abajo, la sucia piel del mundo
y la vida, su huésped más terrible.
Lo incomprensible no es que lo crearas,
sino que, pese a conocer lo absurdo
que era para los hombres tu universo,
te hicieses uno de ellos y quisieras
participar en esta pesadilla.

(Las trincheras, 1996)

Juan Carlos Suñén
(Madrid, 1956)

Forma parte de los nueve poetas antologados por Antonio Ortega en *La prueba del nueve (Antología poética)*, en la que el crítico presenta originales voces poéticas que logran una expresión vigorosa y ofrecen su propia «reflexión crítica sobre la realidad» en un lenguaje independiente de las tendencias y modas del día.

Por fortunas peores (1991) medita sobre la vida en un lenguaje narrativo de cierto hermetismo. Aunque no debamos buscar en sus páginas un tratado de filosofía, es cierto que todo el libro debe su estructura coherente y su enfoque unitario a esa inagotable materia que, en palabras de A. Ortega, «es la vida y el esfuerzo por asumirla y comprenderla», sobre la cual reflexiona el poeta en tono intrascendente: «Uno sale a la calle para probar sus dados / sobre la vieja manta de la noche» («Uno se queda solo»). *La prisa* (1994) ofrece «un modo de sobrevivir sin concesiones, un dramático esfuerzo por estar entre nosotros: este camino es el que le conduce al lugar de la serenidad, allí donde es posible hacer recuento de lo que permanece» (A. Ortega, «Entre el hilo...», pág. 49). Con hondura y emoción medita sobre el dolor y el «pavor de estar vivo» sin evitar la expresión coloquial o trivial y las escenas de la cotidianidad («Íbamos al dolor sin desengaño»).

Otra faceta notable es su práctica de una poesía cívica, alejada del esteticismo novísimo y preocupada por los problemas del mundo y la sociedad en que se mueve. El propio poeta lo declara: «desde *Un ángel menos* (1989) hasta el próximo

La prisa —y con menos distracciones de lo que a ratos yo mismo tiendo a pensar— me he propuesto excavar un territorio muy concreto de mi propia experiencia, ese que bien podría llevarme a retratar las culpas de esta época» (J. C. Suñén, «Lo difícil y el bien», pág. 35). *Un hombre no debe ser recordado* (1992) está dominado por la «pasión de la resistencia» ante el poder, la guerra, la traición, la injusticia, la manipulación en un mundo dominado por grandes fuerzas anónimas. Los poemas se desarrollan con frecuencia en un marco clásico grecorromano y en un estilo sobrio, épico y, yo diría, que a veces epigramático, dentro de una sabia sensatez.

Pero en este marco, con honda conciencia ética, habla de problemas de total actualidad, como funcionarios, banquetes, precios, impuestos y los abusos del poder («Impuestos»). Juan Carlos Suñén no renuncia a criticar su mundo y es tal vez, en su novedoso verso libre y a veces prolongado, uno de los más destacados poetas cívicos de la poesía reciente.

OBRA POÉTICA:

Para nunca ser vistos, Madrid, Ed. Libertarias, 1988.
Un ángel menos, Madrid, Ed. Libertarias, 1989.
Por fortunas peores, Madrid, Cátedra, 1991.
Un hombre no debe ser recordado, Madrid, Visor, 1992.
La prisa, Madrid, Cátedra, 1994.
El hombro izquierdo, Madrid, Visor, 1997.
Cien niños, Madrid, Cátedra, 1999.

CAIGO EN TU CABELLERA
Si tuviera cien dedos
los perdería gozoso en ese país de anillos

Se va mojando el aire
                                        sonríes
                        brilla un pálido
                                        pliegue
y arde el sur en el cuello de las botellas
....
Descubres como un naipe no usado la mirada

(Para nunca ser vistos, 1988)

UNO SE QUEDA SOLO
sin entrar en detalles.

Uno se queda a medias en su vaso de vino,
a medias en su pan. Y cómo puede
no volverse su embozo tan pesado,
tan gastado en el hombre, que alguien sepa
poner allí más verbo
que este que da comienzo a la altura del pomo,
este que se interroga
entre la voluntad y la añoranza.

Uno sale a la calle para probar sus dados
sobre la vieja manta de la noche.
...

173

Ah! si hubiera tenido
a la vez el amor y los amores.

¡Cómo hubiera cantado entonces, cuánto y con qué descaro, todas esas derrotas que llevaste escondidas, llenas de manos posibles, de futuras primicias! ¡Cómo me hubiera jactado
de mi juventud, con qué desenvoltura hubiera bautizado a la
pedida mi corderito salvaje; mi putita de ajenjo a la ruinosa;
divorciada de hojaldre a la apostada! Nadie como nosotros
habría puesto patria en la noche de los viajeros, manteles en
el barro, cigarras de oro en jaulas en sazón.

Nadie como nosotros
habría hecho nunca menos por el progreso.
...

Ah!, si hubiera tenido
a la vez el amor y los amores.
Bien hubiese afilado los armados laureles de la persuadida,
los azafranes de la suplicada

para mejor sonoridad del verso.

Y hubiera dicho a todas:
«Hágase mi desgracia entre sábanas tuyas.»
...

Pero no tuve sino cada cosa
a su tiempo y, según la profecía,
una nómina ilustre de extravíos.

Y en cada uno de ellos he buscado tu nombre como el que
busca el mar en una isla infinita.

Y así he aprendido a amar todos los días de este sitio.
Todos los días, todos,
menos el anterior.

(Por fortunas peores, 1991)

UN HOMBRE NO DEBE SER RECORDADO

Cuando llega el momento
de partir a la guerra,
el hombre ensilla su caballo y pasa
miedo y, para alejarlo, piensa: «Pronto
adornarán mis hijas su juventud con flores
de estos campos, mis hijos
se embriagarán con vino de estas cepas. Y un día

me darán nietos sanos y robustos
que pensarán que a nadie deben nada.»

IMPUESTOS

Aumentas los impuestos,
pagas la lentitud de los escribas,
pules las armas de los fanfarrones
y celebras banquetes
en honor de los dioses
que encarecen el precio
de la carne en la plaza.
Nuestro ejército vuelve
derrotado y tú aumentas los impuestos.
Obras como el pastor avaricioso
y necio que confía
en obtener el doble de la lana
esquilando dos veces a la oveja.

RENDICIÓN NEGOCIADA

Sobre un flaco caballo
y cubriendo sus hombros
con un manto raído

entró el primero en la ciudad rendida.
Le seguía un ejército maltrecho:
más parecen mendigos
que soldados.

Los altos funcionarios abandonan
la ciudad, una rica caravana
les conduce al destierro, sus familias
marchan con ellos y también sus joyas,
sus esclavos, sus muebles...

Un anciano,
viendo a los vencedores
cansados y harapientos,
sin detener su carro, que es el último, grita:
«No estéis tristes que así, como vosotros,
hace ya mucho tiempo,
cruzaron estos muros
nuestros antepasados.»

Nadie responde, nadie, pero todos
se vuelven a mirar hacia su jefe
que desmonta del flaco
caballo y les ordena
cerrar las grandes puertas enseguida,
vigilarlas día y noche.

(Un hombre no debe ser recordado, 1992)

ÍBAMOS AL DOLOR SIN DESENGAÑO.
Ahora vamos a él como engañada
va la mano a la falsa quemadura
en el miembro amputado.

Íbamos al dolor pero no a este
tan tratable y tan corto,
egoísta en su mal.

Y del hombre ejercido
(¿para qué sin ejemplo, sin pereza?),
tras callar su jornada y su descanso,
y sin más compañía que esa rara
canción que nunca cede, esa ternura
a la que debe apenas
restos occidentales, el olvido
de algo cada vez ya menos suyo
(cada vez más borrosos
jirones, menos anchos
los días hasta aquí, menos vividos),
¿qué queda, quién parece
ahora tan separado de su haber?

Pero ocurre
tan pronto el corazón, y tarda tanto
la vida. Ya no quiere
sino una potestad e ir hacia ella,
salir de suyo a la espesura, presto
al mundo levantado,
al pavor de estar vivo
y solo. *Tú qué sabes,*
qué sabes, le solía
decir su padre (como a todos), *si eres*
demasiado inexperto, demasiado
pequeño aún. Ya había decidido
ir tras otro dominio
cuando esa mirada le ha hecho crujir el hueso.

Siente la soledad del adversario
frente a su copa de coñac, su poco
de entereza (orgullosa
mentira) mientras mira la idiotez de la suerte
dispuesta en varios cofres
gigantes, cuando entra

su mujer. *¿Se ha dormido*
la niña? Si volviera
pronto el mayor podrían
salir a tomar algo. *Dame un poco*
de masaje en los pies: estoy rendida.
¿Qué película ponen esta noche?

Perdimos casi todo pero quedaba el hondo
rencor: yedra sin casa.

Quedaba la inocencia del mantel, su adherencia
besándonos las yemas de los dedos,
y una noche velada en ese cuarto
cuya puerta se iba
a abrir, estaba a punto
de abrirse. Un simple gesto,
y el golpe de la noche te empuja hacia el temblor.

A deshora y con miedo, pero a cambio
qué veloz pasa el corazón, qué nuevo,
así burlando a todos. ¿Y es posible

que aún, que a estas alturas
se venza todavía,
tanto como el que sale
decidido a traerle de la niebla
un alfiler de tejo
a la novia encintada, convencido
de que sigue las huellas de su propio recado?

Así el dolor se sabe verdadero
en el miembro amputado...

(La prisa, 1994)

TODA LA NOCHE HA ESTADO FUNCIONANDO
el aparato de la televisión. Y ha sido
dentro un sonido, aunque absurdo,
     arrogante: han caído
     regiones y han ardido
     convoyes, la cigüeña
     vuela serenamente. Verdaderas
     regiones y esperados
     convoyes, las ortigas
     han tomado la tierra reservada
     a la frambuesa. Todo
     acabará teniendo su lugar en esta
     nueva rutina. Incluso

     que uno otra vez padezca la mirada
     sin honor, y que otro
     ceda su manta inútil
     a la orfandad de fuera.

(El hombro izquierdo, 1997)

Juan Lamillar

(Sevilla, 1957)

Desde sus primeros libros cultiva el verso elegante, un ritmo sosegado y perfecto, y una tonalidad íntima que trata de recuperar vivencias del pasado en una dicción selecta y sugerente. Como dice A. Debicki de *Muro contra la muerte*, «la emoción se expresa en tono menor, las personificaciones de la naturaleza se presentan de modo cotidiano: el sol es un viajero furtivo, las sombras llaman a las puertas y corren por los caminos, las fachadas de las casas se convierten en rostros austeros» *(Historia..., 289)*. Abunda en su poesía el tema amoroso enriquecido con alusiones musicales, literarias o pictóricas, y con reflexiones sobre la caducidad, la muerte y el tiempo que él trata de rescatar en su poesía.

En libros posteriores, como en *El arte de las sombras* (1991) y siguientes, el verso se vuelve transparente y lúcido para cantar la luminosidad cambiante de la playa, hacia el mediodía, en versos vibrantes («Hay un rumor de luz sobre las olas») que tratan de captar el fluir del tiempo en los cambios constantes de la luz. O abundan los versos sonoros y sensoriales que registran cómo «el pincel de la tarde» va pintando un cuadro de Joaquín Sáenz, que es el motivo central de todo el poema («Memoria de la luz»).

El poeta siente la presencia intensa de las pequeñas cosas de uso diario («Objetos cotidianos»), o también la relevancia de obras de arte, como en «Los retablos», que describe en su esplendor sensorial la belleza de las formas y el misterio que las envuelve. Esta lírica se orienta hacia el disfrute sensual de objetos de su entorno («una llave, una pluma, unas monedas»), pero sabe elevarse a una reflexión profunda sobre el enigma del tiempo o sobre la ciudad como una esfinge («Casa con dolmen»).

En la poesía de Lamillar, el arte desempeña un papel decisivo para elevar lo cotidiano y trivial a un plano estético superior. Como ha notado Jonathan Mayhew, parece ser que «el arte es un filtro por el cual debe pasar la vida cotidiana para lograr legitimación literaria», lo cual contrasta ciertamente con lo que hacían los poetas de los cincuenta (Biedma, González, Valente), más bien propensos a «intensificar la fuerza de la experiencia vivida antes que pasarla por un filtro estético» *(The Poetics...,* pág. 132). Todo esto implica un cierto grado de culturalismo, que a veces se recrea en la evocación histórica («Lezama en Yuste»), pero que es muy diferente del de los novísimos por ser menos frecuente y sólo servir como recurso para ennoblecer e iluminar las experiencias cotidianas. Su lírica mantiene una serenidad clásica, gusta de la reflexión y evoca con cierta tonalidad melancólica.

Obra poética:

Muro contra la muerte, Sevilla, Renacimiento, 1982.
Interiores, Sevilla, Calle del Aire, 1986.
Música oscura, Sevilla, Renacimiento, 1989.
El arte de las sombras, Granada, Caja General de Ahorros, 1991.
El paisaje infinito, Sevilla, Renacimiento, 1992.
Los días más largos, Córdoba, Diputación Provincial, 1993.
Las lecciones del tiempo, Valencia, Pre-Textos, 1998.

MEMORIA DE LA LUZ[18]

También el tiempo es luz, y ahora en la playa
tiempo y luz se detienen, y van a dar al mar:
es el instante de exactitud y magia
que rescatan tan sólo el cuadro o el poema.
La luz es ya triunfo. La vemos vencedora
sobre la calma azul: es mediodía.
Sobre la arena plácida desciende
su memoria de diosa inaccesible.
Hay un rumor de luz sobre las olas:
continuamente cambia su color, su sonido.
En la tela persiste su eterna ceremonia.
También la luz define levemente
el blanco escalonado de las casas,
las delgadas aristas del misterio.
El pincel de la tarde va logrando
un fingido horizonte de magníficos malvas.
Y antes de que paisaje y noche se confundan,
la mano que ha detenido al tiempo,
que ha conversado con la luz más alta,
añade últimas líneas de claridad al lienzo,
traza un nombre: «Conil», y firma Joaquín Sáenz.

---

[18] El poeta trata de evocar un instante de mágica luminosidad, que sólo rescatan «el cuadro o el poema» (v. 4), y lo hace describiendo un cuadro de Joaquín Sáenz, nacido en Sevilla en 1931, quien pinta «paisajes, bodegones e interiores, motivos todos ellos extraídos de su entorno familiar y que interpreta en una clave subjetiva, de naturaleza lírica» (F. Calvo Serraller, *Enciclopedia,* página 714). Casi imitando el estilo de Homero, quien describe la armadura de Aquiles no como era sino como se iba fabricando en la fragua, podemos decir que Lamillar observa cómo la mano del pintor logra ir deteniendo el tiempo mientras pone las últimas líneas a su lienzo.

EL ARTE DE LAS SOMBRAS

Me abrías descalza, ausente, ensimismada,
la puerta del jardín, el arte de las sombras.
Perseguirte al amor era costumbre
entre flores exóticas, hacia ignotas ciudades.
Era el jardín el mar, y lo surcábamos:
las naves detenidas, los fuegos de Santelmo,
el preciso oleaje, las sirenas
fingiendo que cantaban
(y era un antiguo disco impresionista).
Ante tal artificio, ante tanta impostura,
frente a la falsedad de jaspes y de yedras,
eras tú misma la que abrías de nuevo
la inexacta cancela de vergel tan equívoco.

(El arte de las sombras, 1991)

OBJETOS COTIDIANOS

Sólo existen objetos cotidianos:
son los que nos liberan de la muerte,
los que más tenazmente trazan lindes
entre la realidad y lo ficticio.
Son templos frente al tiempo,
y en su débil materia prevalecen.
La cerámica azul de los tinteros,
plumas antiguas, cajas venecianas,
relojes que negarán las horas.
Sólo esto existe: lo que me acompaña
en la magia distinta de este cuarto.
Libros y cartas, la música, las fotos.
Sólo esto existe: la ventana miente.

PRESENCIA DE LA MUERTE

In memoriam J. L.

Cómo la Muerte posa en los objetos
una ligera transparencia,
leves tonalidades de abandono,
una inquietud como llovizna.
Cómo sortea los patios, los silencios,
para llegar a su reducto,
a la misión sabida,
a la música cierta de la Noche.
El tapiz laberíntico del miedo,
la trama de la angustia, la preceden.
Y ahora que la sabemos en la casa,
miramos de otro modo
la quietud sospechosa de objetos familiares,
la secreta belleza de lo inmóvil.
Invierno en el disfraz de cada personaje
que acude con el llanto y la palabra
para abrir los talados jardines del recuerdo.
Cómo la Muerte es dolorosa música,
aria lejana que ya no nos sorprende,
si no es por lo fugaz y lo preciso
del paisaje que acerca, en llamas todavía.

(El paisaje infinito, 1992)

LABERINTOS DE LUZ

Escribes con la luz: fotografías.
Es otro resplandor distinto del lenguaje:
la ciudad, el desnudo, las frases detenidas,
el alma de la luz en un instante.

185

La luz se hace escritura, doble luz,
apariencia. El mundo se hace imagen.
Tu voz está también en el catálogo:
coleccionamos mundos, colecciones,
trazos de luz en blanco y negro y siempre.
Están desde lo oscuro inventando la vida,
trazando laberintos que son inexplicables.
¿Cómo fijar la lluvia, la melodía del viento,
la doblez de los árboles, su estela?
Escribes con la luz fotografías.

EL PACTO CON LA SERPIENTE[19]

Me salvó Mario Praz de la catástrofe.
Tú tan lejana, creando incertidumbre
con llamadas —escasas— de teléfono.
Los celos, su fantasma, paseando
por mi mente, mi cuarto, por mi vida.
Y escribe Mario Praz sobre fantasmas
—esta vez culturales—, sobre el doble
y D'Anunzzio, sobre Proust y Kokoschka,
sobre la más hermosa de las tumbas,
y vas desvaneciéndote, y ya eres
tan tú que la otredad no me lastima
con el mismo rigor, con su insistencia.
Pero paso la página y, de nuevo,
tras la imaginación prerrafaelita,
aparecen tus gestos, tus palabras de duda,
el laberinto que querrías salvar,
una frase que duele porque no aclara nada.

---

[19] Alude al libro de Mario Praz *El pacto con la serpiente,* aparecido en italiano
en 1972 y en castellano en la edición de Fondo de Cultura Económica (México, 1988). Su lectura (a cuyos temas alude a todo lo largo del poema) fascina
a la voz poética y le ayuda a superar su crisis personal con un pacto con la serpiente, que viene a ser el trato que hace el artista con la imaginación.

Vuelvo al *liberty* y a los Nazarenos:
de nuevo eres un nombre y un perfume,
una confusa situación, tan leve.
Pacté con la serpiente tu secreto.

CASA CON DOLMEN

A Lola y Teo

Entendiendo la casa,
no como sucesión de habitaciones,
sino también de vidas y misterio,
hemos mirado lentamente el blanco
de los muros, la torre en el paisaje.
El campo como un ámbito sagrado
—igual que la amistad—
y el sábado con sol
invitan a un almuerzo
mitad campestre, mitad civilizado,
y después de un paseo
entre naranjos, limoneros, nísperos,
tras contemplar callados los cipreses,
hemos bajado al dolmen.
Grandes piedras, oscuras ceremonias,
se ven, se saben, nos demuestran
que el tiempo es un enigma,
que las puntas de flecha aquí encontradas
son olvidos de ayer, como detalles
—una llave, una pluma, unas monedas—
que hoy también olvidamos,
entre jóvenes risas, en la yerba.
Sobre el círculo mágico,
sobre las silenciosas pizarras de la muerte,
tras siglos de vacío en un paisaje
de colinas suaves, y llanura, y sosiego,
levantaron la casa, trazaron los jardines.

¿Qué oscuro pacto rompieron los cimientos,
qué fingido descanso mutilaron?
Hoy, que es sábado y hay sol,
y risas juveniles que comparten
el pan, y el vino, y la palabra,
somos un sueño sobre un sueño antiguo,
y esta luz es la misma
que acompañó los ritos ignorados,
gestos que conmemoran los cipreses tardíos.

Al fondo la ciudad, como otra esfinge.

(Los días más largos, 1993)

FIN DEL VERANO

Suele ser en las tardes de septiembre:
declina el sol, cambia el color del cielo,
la brisa se hace incómoda de pronto,
la claridad que agosto regalaba
resbala ya hacia la playa oscura.
Se marcharon los rostros sonrientes
dejando en sombra las terrazas, gestos
de ocio, de placer, de indolencia:
lo fugaz y lo incierto del verano,
las telas blancas, la luz, la ligereza,
los cuerpos transcurriendo en el descuido
lento y hermoso de la juventud.

A traición, una tarde de septiembre,
el tiempo se hace gris y se dan prisa
las horas que en agosto eran eternas.
La arena ya no siente el pie descalzo.
El mar, que fue la vida, ahora es silencio,
y este viento de otoño, inesperado,
es el saludo leve de la muerte.

188

LEZAMA EN YUSTE[20]

Lo esperan *las esquinas de sombra para el fraile*,
el barroco verdor tras la fuerza del muro:
desde La Habana de ultratumba llega
este asmático abad:
es el milagro de la imagen,
son sus raros hechizos de erudito.
Él trae y entrega su *Paradiso* propio
mientras sigue buscando y sorprendiendo:
vedlo en la biblioteca repasando Feijóos
al tiempo que pondera
orgullos tipográficos del siglo dieciocho,
revolviendo anaqueles para no llegar tarde
a una cita con citas de la *Summa teológica*.
En el previsto encuentro con el de Carlos V,
su fantasma hablará sobre Tiziano y Mühlberg,
sobre joyas, Erasmos y banquetes
en los palacios del Renacimiento...
Y en el prodigio de las sobremesas
los monjes abrirán cofres teológicos
para que en el café se detengan los círculos
de un *Inferno* vacío.
Al declinar la tarde, en el paseo
por los certeros bosques de castaños,

---

[20] Juan Lamillar evoca una visita fantástica («desde La Habana de ultratumba») de José Lezama Lima al monasterio de Yuste, lugar de retiro del emperador Carlos V. Lezama Lima es el autor de la novela *Paradiso* (1966) sobre la burguesía criolla, cuyo personaje central Cemí es como el doble del propio novelista. El poeta ilustra los «raros hechizos de erudito» del novelista cubano recordando una edición de la *Summa teológica* de Santo Tomás de Aquino, la batalla de Mühlberg y el retrato de Carlos V del pintor veneciano Vecellio Tiziano, el *Inferno* de la *Divina Comedia* de Dante y el *Libro de los muertos* egipcio, colección de oraciones y salmos para proteger el alma del faraón (o de los muertos) en su viaje a la otra vida, datos que agradezco en parte a mi colega Gustavo Pellón. Cita también a otros escritores conocidos, como Benito Jerónimo Feijóo, el monje ilustrado del siglo XVIII, o Erasmo, el humanista de Rotterdam.

repetirá señales que los dioses recuerdan,
recitando pasajes del *Libro de los muertos*.
Cuando llegue Cemí buscando eternidades
—donde el tiempo ya es dádiva—
lo encontrará feliz fumando habanos
en el claustro jerónimo.

CEMENTERIO ALEMÁN
(DEUTSCHER SOLDATENFRIEDHOF-YUSTE)

Este claro del bosque los congrega:
bajo cruces sencillas, bajo nombres difíciles,
soldados alemanes de dos guerras
con idioma de muerte se cuentan sus hazañas.
Pero las cuentan en silencio,
porque su idioma es el de la nada,
el de los despojos, el de la derrota
que también aguarda a los victoriosos.
Un silencio más fuerte que la luz del paisaje
une su meditar al rumor de las ramas,
al olor del espliego,
al recóndito huir de los lagartos.
Frente a ese silencio, alzándose,
está la juventud de vuestras fechas,
grabadas como un grito sobre el gris de las cruces.
Alguien reunió vuestras distintas muertes:
el náufrago, el aviador caído,
el que sufrió la agonía de los hospitales,
y ahora, paseando entre tumbas,
me pregunto si acaso fuisteis héroes
o soldados anónimos perdidos
en lo intenso y absurdo de una guerra.
Porque debajo de este césped
están los veinte años de Rudolf Tanzberger,
y el uniforme ensangrentado y roto de Hanz Farber,
y Lothar Kloos y su quieta sonrisa.

190

Franz Wilhem Kuhlmann,
¿sabes por qué moriste?
¿qué llevaba a la muerte
a estos que ahora están contigo?
¿Conocías los olivos, que te velan,
retorcidas antorchas apagadas?
El azar —otro azar— os ha reunido
a la sombra —otra sombra—
de bicéfalas águilas, de toisones de oro.
Os hicieron luchar por un imperio:
seguís muriendo sucesivamente
bajo los árboles donde un Emperador
cambió sus sueños por relojes y misas.

No quiero detenerme en vuestros nombres:
que los diga de nuevo la luz que ahora declina,
la noche, que los sabe de memoria,
y los que os reconocen doblemente extranjeros:
en la tierra sin pausa de la muerte,
en la remota tierra de un país imprevisto.

(Las lecciones del tiempo, 1998)*

191

Luis García Montero

(Granada, 1958)

Es una de las figuras más visibles y reconocidas de la poesía reciente y destaca entre los mejores poetas de su generación. Con Álvaro Salvador y Javier Egea publicó el manifiesto sobre *la otra sentimentalidad,* que suscitó controversia y obligó a replantearse aspectos decisivos de la lírica de aquel momento. En él se defendía una «cotidianización de la poesía» y se proponía el concepto de la lírica como expresión de vivencias y sentimientos que tienen mucho de ficción. Se inicia así una corriente poética que al fin refuerza y enriquece la llamada «poesía de la experiencia», de la cual L. García Montero es importante cultivador y animador.

La moda culturalista en García Montero suele ser evocación de ambientes cultos, alusión lúdica o irónica o escenario de nostálgicos recuerdos (Lorca, Chopin, Ovidio, Picasso, Petrarca, Firenze), como vemos en *Tristia* y *El jardín extranjero.* Pero lo que gusta al poeta es tomar el pulso a la vida en su cotidianidad postmoderna en una poesía donde le interesa tanto lo individual como lo colectivo. Lo que él siente no es asombro ante el espectáculo de la urbe moderna (como los vanguardistas). Su poesía refleja una visión más compleja y ambigua, mezcla de fascinación y escepticismo, en que la voz poética se siente enredada en la malla de un mundo complejo e imprevisible. A veces el teléfono o el tráfico urbano, que pueden sugerir novedosas metáforas («y las calles enteras están comunicando», «mi corazón sin tráfico»), se erigen en símbolos de esa postmodernidad que impregna los minutos de la existencia y de la relación amorosa («Me persiguen»).

El tema de la experiencia amorosa ocupa un lugar importante en su poesía, hasta ser considerado «uno de los mejores poetas eróticos de los últimos años» (J. C. Mainer). En su *Diario cómplice* narra, en sus diversos estadios, «una historia de amor» en paisajes urbanos postmodernos entre taxis, tranvías, bares o teléfonos. Pero el poeta sabe siempre construir el sentimiento desde la imaginación en poemas que son realidad y ficción («Recuerdo de una tarde de verano»).

La poesía de García Montero es de una extraordinaria riqueza y variedad de registros. Desde *Y ahora ya eres dueño del puente de Brooklyn,* evocación del mundo de la novela negra, la violencia y el sexo, la pasión y el recuerdo, en ambientes urbanos de hoy, evoluciona hasta *Las flores del frío,* en que se inventa un tipo de canción con resonancias lorquianas en ambientes de misterio y paisajes cotidianos impregnados de erotismo, o hasta *Habitaciones separadas,* tal vez su libro más logrado, que es una exploración de la vida desde la perspectiva y símbolo de viajero en nuestro mundo deslumbrante y confuso de aeropuertos, autopistas, escaparates y habitaciones de hotel («Life vest under your seat»). Otras veces canta en alejandrinos la vida postmoderna de semáforos, coches y faros («Nocturno»). El poeta tiene un modo magistral de combinar en su lírica la realidad vivida u observada con los frutos de una fantasía rica en recursos para escribir una poesía que resulta única en sus contenidos, tono y textura.

OBRA POÉTICA:

Y ahora ya eres dueño del puente de Brooklyn, Granada, Zumaya, 1980.
Tristia, con Alvarto Salvador, Melilla, Rusadir, 1982.
Diario cómplice, Madrid, Hiperión, 1987.
El jardín extranjero, precedido de *Poemas de «Tristia»,* Madrid, Hiperión, 1989.
Las flores del frío, Madrid, Hiperión, 1991.
Además, Madrid, Hiperión, 1994.
Habitaciones separadas, Madrid, Visor, 1994.
Casi cien poemas. Antología (1980-1995), Madrid, Hiperión, 1997.
Completamente viernes (1994-1997), Barcelona, Tusquets, 1998.

RECUERDO DE UNA TARDE
DE VERANO

Aquel temblor del muslo
y el diminuto encaje
rozado por la yema de los dedos,
son el mejor recuerdo de unos días
conocidos sin prisa, sin hacerse notar,
igual que amigos tímidos.

Fue la tarde anterior a la tormenta,
con truenos en el cielo.
Tú apareciste en el jardín, secreta,
vestida de otro tiempo,
con una extravagante manera de quererme,
jugando a ser el viento de un armario,
la luz en seda negra
y medias de cristal,
tan abrazadas
a tus muslos con fuerza,
con esa oscura fuerza que tuvieron
sus dueños en la vida.

Bajo el color confuso de las flores salvajes,
inesperadamente me ofrecías
tu memoria de labios entreabiertos,
unas ropas difíciles, y el rayo
apenas vislumbrado de la carne,

195

como fuego lunático,
como llama de almendro donde puse
la mano sin dudarlo.
Por el jardín, el ruido de los últimos pájaros,
de las primeras gotas en los árboles.

Aquel temblor del muslo
y el diminuto encaje, de vello traspasado,
su resistencia elástica
vencida con el paso de los años,
vuelven a ser verdad, oleaje en el tacto,
arena humedecida entre las manos,
cuando otra vez, aquí, de pensamiento,
me abandono en la dura solución de tus ingles
y dejo de escribir
para llamarte.

ME PERSIGUEN

Me persiguen
los teléfonos rotos de Granada,
cuando voy a buscarte
y las calles enteras están comunicando.

Sumergido en tu voz de caracola
me gustaría el mar desde una boca
prendida con la mía,
saber que está tranquilo de distancia,
mientras pasan, respiran,
se repliegan
a su instinto de ausencia,
los jardines.

En ellos nada existe
desde que te secuestran los veranos.
Sólo yo los habito
por descubrir el rostro
de los enamorados que se besan,

con mis ojos en paro,
mi corazón sin tráfico,
el insomnio que guardan las ciudades de agosto,
y ambulancias secretas como pájaros.

(Diario cómplice, 1987)

TIENDA DE MUEBLES

A Silvia y Felipe

En la tienda de muebles
hay mil casas vacías. Los espejos,
la perfección pulida de las mesas
y de los canteranos,
el cristo de Dalí, las acuarelas,
los armarios, las camas, todo duerme
con la inquieta nostalgia de sus metros cuadrados.
Y campanadas de reloj que saltan
sin nadie a quien llamar,
también quisieran
vivir en los horarios, ser mañana
una versión doméstica del tiempo.

Es mayo en el jardín. Una pareja
se vigila los labios con mirada de nácar,
merodea en las dudas que conducen
hasta el beso primero,
ese que por la noche se medita
y vuelve a repetirse, natural, encendido,
como un gesto mecánico.

Luego serán los meses estampas de almanaque,
decorados que corren a la cita.
En agosto provoca la distancia
cartas de buen amor. Pero septiembre,
cómplice de los árboles, propone
una sabiduría de plazas y jardines,

y la luz del otoño
es igual que un abrazo detenido,
tiembla confusamente,
como tiemblan las horas en la casa de Alberto,
no habrá nadie mañana,
tú ya sabes quién es,
mi mejor compañero de trabajo.

Verte desnuda
o comprender el hueco de las manos,
no tengo miedo, amor, porque te quiero,
me gustas con las luces encendidas,
aún es pronto,
llámame cuando llegues,
voy a colgar, mi madre
necesita el teléfono.

La luna impertinente de los sábados
se apoya en la guantera del 127
y por los hombros cae
lenta como las luces serenadas
sobre la discoteca.
Pero también es bello el sol de invierno
en las mañanas de domingo.
Mis padres quieren conocerte,
hace ahora dos años que salimos,
yo puedo trabajar, tal vez nos llegue
con mi sueldo y la rosa de tus labios,
ayer encontré piso,
amor, verte desnuda
es comprender el hueco de mis manos,
balcones frente a un río, poco a poco
lo iremos amueblando, yo quisiera,
cuántas mensualidades,
envejecer contigo en esta casa
en esta habitación, en este beso.
En la tienda de muebles
hay mil besos vacíos. Ayúdame a escoger,
mira la cama grande y abrazada,

el sofá de las tardes infinitas,
un armario que pueda
doblar las estaciones y guardarlas,
de cuánto los recibos,
la mesa familiar, mira el espejo
que sabrá la estatura de los niños,
podemos firmar letras,
amor, es tu desnudo
lo que divide el mapa de las sábanas.
Seguir, envejecer, soñar la vida
en el tanto por ciento de un abrazo.

Serán felicidad, memoria fuerte
los muebles de la casa,
hasta llegar al sueño más oculto de un hijo,
ese que funda el tiempo
y vuelve por las noches,
natural, encendido de huellas primitivas,
de valores eternos
que se compran a plazos
y tal vez con un poco de rebaja.

(Las flores del frío, 1991)

PRIMER DÍA DE VACACIONES

Nadaba yo en el mar y era muy tarde,
justo en ese momento
en que las luces flotan como brasas
de una hoguera rendida
y en el agua se queman las preguntas,
los silencios extraños.

Había decidido nadar hasta la boya
roja, la que se esconde como el sol
al otro lado de las barcas.

Muy lejos de la orilla, en el crepúsculo,
me adentraba en el mar
sintiendo la inquietud que me conmueve
al adentrarme en un poema
o en una noche larga de amor desconocido.

Y de pronto la vi sobre las aguas.
Una mujer mayor,
de cansada belleza
y el pelo blanco recogido,
se me acercó nadando
con brazadas serenas.
Parecía venir del horizonte.

Al cruzarse conmigo,
se detuvo un momento y me miró a los ojos:
no he venido a buscarte,
no eres tú todavía.

Me despertó el tumulto del mercado
y el ruido de una moto
que cruzaba la calle con desesperación.
Era media mañana,
el cielo estaba limpio y parecía
una bandera viva
en el mástil de agosto.
Bajé a desayunar a la terraza
del paseo marítimo
y contemplé el bullicio de la gente,
el mar como una balsa,
los cuerpos bajo el sol.
                        En el periódico
el nombre del ahogado no era el mío.

LIFE VEST UNDER YOUR SEAT

A Dionisio y José Olivio

Señores pasajeros buenas tardes
y Nueva York al fondo todavía,
delicadas las torres de Manhattan
con la luz sumergida de una muchacha triste,
buenas tardes señores pasajeros,
mantendremos en vuelo doce mil pies de altura,
altos como su cuerpo en el pasillo
de la Universidad, una pregunta,
podría repetirme el título del libro,
cumpliendo normas internacionales,
las cuatro ventanillas de emergencia,
pero habrá que cenar, tal vez alguna copa,
casi vivir sin vínculo y sin límites,
modos de ver la noche y estar en los cristales
del alba, regresando,
y muchas otras noches regresando
bajo edificios de temblor acuático,
a una velocidad de novecientos
kilómetros, te dije
que nunca resistí las despedidas,
al aeropuerto no,
prefiero tu recuerdo por mi casa,
apoyado en el piano del Bar Andalucía,
bajo el cielo violeta
de los amaneceres en Manhattan,
igual que dos desnudos en penumbra
con Nueva York al fondo, todavía
al aeropuerto no,
rogamos hagan uso
del cinturón, no fumen
hasta que despeguemos,
cuiden que estén derechos los respaldos,
me tienes que llamar, de sus asientos.

GARCILASO 1991

Mi alma os ha cortado a su medida,
dice ahora el poema,
con palabras que fueron escritas en un tiempo
de amores cortesanos.
Y en esta habitación del siglo XX,
muy a finales ya,
preparando la clase de mañana,
regresan las palabras sin rumor de caballos,
sin vestidos de corte,
sin palacios.
Junto a Bagdad herido por el fuego,
mi alma te ha cortado a su medida.

Todo cesa de pronto y te imagino
en la ciudad, tu coche, tus vaqueros,
la ley de tus edades,
y tengo miedo de quererte en falso,
porque no sé vivir sino en la apuesta,
abrasado por llamas que arden sin quemarnos
y que son realidad,
aunque los ojos miren la distancia
en los televisores.

A través de los siglos,
saltando por encima de todas las catástrofes,
por encima de títulos y fechas,
las palabras retornan al mundo de los vivos,
preguntan por su casa.
Ya sé que no es eterna la poesía,
pero sabe cambiar junto a nosotros,
aparecer vestida con vaqueros,
apoyarse en el hombre que se inventa un amor
y que sufre de amor
cuando está solo.

(Habitaciones separadas, 1994)

NOCTURNO

A Ángel González

Aplauden los semáforos más libres de la noche,
mientras corren cien motos y los frenos del coche
trabajan sin enfado. Es la noche más plena.
Ninguna cosa viva merece su condena.
Corazones y lobos. De pronto se ilumina
en un sillín con prisas la línea femenina
de un muslo. Las aceras, sin discreción ninguna,
persiguen ese muslo más blanco que la luna.
Pasan mil diez parejas derechas a la cama
para pagar el plazo de la primera llama
y firmar en las sábanas los consorcios más bellos.
Ellas van apoyadas en los hombros de ellos.
Una federación de extraños personajes,
minifaldas de cuero, chaquetas con herrajes
y el hablador sonámbulo que va consigo mismo,
la sombra solitaria volviendo del abismo.
Luces almacenadas, que brotan de los bares,
como hiedras contratan las perpendiculares
fachadas de cristal. Hay letreros que guiñan,
altavoces histéricos y cuerpos que se apiñan.
El día es impensable, no tiene voz ni voto
mientras tiemble en la calle el faro de una moto,
la carcajada blanca, los besos, la melena
que el viento negro mueve, esparce y desordena.
Yo voy pensando en ti, buscando las palabras.
Llego a tu casa, llamo, te pido que me abras.
La ciudad de las cuatro tiene pasos de alcohólica.
Desde el balcón la veo y como tú, bucólica
geometría perfecta, se desnuda conmigo.
Agradezco su vida, me acerco, te lo digo,
y abrazados seguimos cuando un alba rayada
se desploma en la espalda violeta de Granada.

(Además, 1994)

LA INMORTALIDAD

Nunca he tenido dioses
y tampoco sentí la despiadada
voluntad de los heroes.
Durante mucho tiempo estuvo libre
la silla de mi juez
y no esperé juicio
en el que rendir cuentas de mis días.

Decidido a vivir, busqué la sombra
capaz de recogerme en los veranos
y la hoguera dispuesta
a llevarse el invierno por delante.
Pasé noches de guardia y de silencio,
no tuve prisa,
dejé cruzar la rueda de los años.
Estaba convencido
de que existir no tiene transcendencia,
porque la luz es siempre fugitiva
sobre la oscuridad,
un resplandor en medio del vacío.

Y de pronto en el bosque se encendieron los árboles
de las miradas insistentes,
el mar tuvo labios de arena
igual que las palabras dichas en un rincón,
el viento abrió sus manos
y los hoteles sus habitaciones.
Parecía la tierra más desnuda,
porque la noche fue,
como el vacío,
un resplandor oscuro en medio de la luz.

Entonces comprendí que la inmortalidad
puede cobrarse por adelantado.
Una inmortalidad que no reside

en plazas con estatua,
en nubes religiosas
o en la plastificada vanidad literaria,
llena de halagos homicidas
y murmullos de cóctel.
Es otra mi razón. Que no me lea
quien no haya visto nunca conmoverse la tierra
en medio de un abrazo.

La copa de cristal
que pusiste al revés sobre la mesa,
guarda un tiempo de oro detenido.
Me basta con la vida para justificarme.
Y cuando me convoquen a declarar mis actos,
aunque sólo me escuche una silla vacía,
será firme mi voz.

No por lo que la muerte me prometa,
sino por todo aquello que no podrá quitarme.

(Completamente viernes, 1998)

Blanca Andreu
(La Coruña, 1959)

Su primer libro, *De una niña de provincias que se vino a vivir en un Chagall* (1981), causó una gran sensación entre lectores y críticos, y fue recibido como obra revolucionaria que daba un vuelco a las corrientes poéticas de aquel momento post-novísimo reconquistando una libertad expresiva no conocida desde el surrealismo. Es un poemario de gran originalidad, donde Blanca Andreu trata de crear un lenguaje autónomo, independiente del peso de las modas en alza y muy osado al tratar de proyectar sentimientos básicos de una manera virgen e insólita, sin trabas lógicas o racionales.

Lo más desconcertante de esta poesía es, sin duda, que ofrece un lenguaje donde se precipitan alucinantes imágenes en un ritmo vertiginoso que no deja tiempo al lector para recuperar el aliento. Se proyectan verdaderos delirios de fantasía para encarnar sentimientos y emociones en versos de gran belleza verbal y musicalidad («Tú eras columna de Babilonia o casi»).

Andreu canta en versículos de largo aliento las experiencias de un amor elemental y obsesivo, unido a morbosos impulsos de destrucción. Amor y muerte (que puede ser también el éxtasis de la droga) son el eje sobre el que gira el entero poemario. Así, los instintos despertados por la primavera perturban e inquietan a la poeta de modo tan intenso como sugieren sus versos repletos de furiosas metáforas («Maggio»).

La imagen del caballo veloz, que inevitablemente nos recuerda los que con frecuencia pueblan los cuadros de Chagall, se convierte en símbolo central que evoca en insólitos versos los sueños y aspiraciones de la protagonista. También evoca repetidas veces el mundo de la droga, como notó Julio Llamazares, quien considera éste «el primer libro de poesía española en el que se aborda con innegable coherencia el tema de la droga» (D. Villanueva *et al., Los nuevos nombres,* pág. 224). Así lo puede constatar el lector desde el primer poema («Di que querías ser caballo esbelto, nombre»). La poeta siente la aprensión de la muerte que ve inevitable caer sobre su cuerpo y todo lo que a él pertenece, no sin ciertos dejes de humor e ironía, como sugiere cuando alude a su pelo y senos («Amor mío, mira mi boca de vitriolo»).

Báculo de Babel es, en palabras de un crítico, «una investigación profunda sobre las posibilidades del lenguaje para crear una realidad habitable», y *Elphistone* pinta «un mundo de ficción próximo a la narrativa» y sigue investigando los límites de la creación (J. J. Lanz, «La poesía de Blanca Andreu», páginas 74, 75). Ambas obras continúan el lenguaje febril y cierto tono narrativo, y enriquecen, sin duda, el despliegue imaginativo del primer libro sin superar sus grandes aciertos.

OBRA POÉTICA:

De una niña de provincias que se vino a vivir en un Chagall, Madrid, Rialp, 1981.
Báculo de Babel, Madrid, Hiperión, 1986.
Elphistone, Madrid, Visor, 1988.
El sueño oscuro (Poesía reunida 1980-1989), Madrid, Hiperión, 1994.

DI QUE QUERÍAS SER CABALLO ESBELTO, NOMBRE
de algún caballo mítico,
o acaso nombre de Tristán, y oscuro.
Dilo, caballo griego, que querías ser estatua desde hace diez
    mil años,
di sur, y di paloma adelfa blanca,
que habrías querido ser en tales cosas,
morirte en su substancia, ser columna.

Di que demasiadas veces
astrolabios, estrellas, los nervios de los ángeles,
vinieron a hacer música para Rilke el poeta,
no para tus rodillas o tu alma de muro.

Mientras la marihuana destila mares verdes,
habla en las recepciones con sus lágrimas verdes,
o le roba a la luz su luz más verde,
te desconoces, te desconoces.

AMOR MÍO, MIRA MI BOCA DE VITRIOLO
y mi garganta de cicuta jónica,
mira la perdiz de ala rota que carece de casa y muere
por los desiertos de tomillo de Rimbaud,
mira los árboles como nervios crispados del día
llorando agua de guadaña.

Esto es lo que yo veo en la hora lisa de abril,
también en la capilla del espejo esto veo,

y no puedo pensar en las palomas que habitan la palabra Ale-
    jandría,
ni escribir cartas para Rilke el poeta.

Así MORIRÁN MIS MANOS OLIENDO A ESPLIEGO FALSO
y morirá mi cuello hecho de musgo,
así morirá mi colonia de piano y de tinta.
Así la luz rayada,
la forma de mi forma,
mis calcetines de hilo,
así mi pelo que antes fue barba bárbara de babilonios
decapitados por Semíramis.
Por último mis senos gramaticalmente elípticos
o las anchas caderas que tanto me hicieron llorar.
Por último mis labios que demasiado feroces se volvieron,
el griego hígado,
el corazón medieval,
la mente sin cabalgadura.

Así morirá mi cuerpo de arco cuya clave es ninguna,
es la música haciendo de tiempo,
verde música sacra con el verde del oro.

Tú ERAS COLUMNA DE BABILONIA O CASI,
capítulo del beso de Babel cuando eras mano labios dedos
    torres,
historia alta de ti,
el libro de la voz deshojándose con paso de danza,
y la colonia que se despierta y escribe estrofas verdes,
y el viento era escabel para tus pies
en la luna bermeja del salón.
O cuando fuiste dioses, dioses para la adolescencia que se
    vende,

o antes, sí, antes de esperar casas
del lenguaje arquitecto,
templos para bisoledad y rastro lejano de ti,
mirando el ligero Mediterráneo,
aguardando una iluminación del nervioso mar,
un haz de días,
una camada lírica.

EL DÍA TIENE EL DON DE LA ALTA SEDA,
pétalos desandados por el pie de la noche,
monedas en corolas, eso dije.
Pero se izó la nube de magnolia hasta llegar al núcleo ahogado,
estambre eléctrico y pistilo triturado de amor,
monedas deshojadas por el terrible cheque templario
o bien las brujas vírgenes prudentes
y la plomiza nada milenaria.

El día tuvo el don de la alta seda,
amor mío, amor mío, y por eso aún escúchame,
por eso te repito el perdido poema,
amor mío, amor mío, tu voz que amé y que cruza
las pupilas moradas de los puentes,
y tu olor habitado, azul, y todo
lo que ahora abandono y abandonas
no sé con qué propósito,
ni sé de qué manera clandestina,
ahora, mientras yo rompo
la idea de tu rostro
y continúo ignorando
qué invierno,
qué arteria barroca del diciembre aquel,
qué orden despierto es el tuyo
mientras yo vivo sola, y duermo, y te detesto.

MAGGIO

Muerte en el tiempo grávido de palomas marchitas,
en el lacrimatorio que me ofrece la maloliente tinta de mayo.
Agonía del cauce en mi cintura y en la cintura de veleros negros,
agonía de una ojiva de agua,
mayo, mayo, poema oval, resplandor y salto al vacío,
una estrella de nervios que no tiene piedad.

Mayo con astas locas, mayo ciervo de fiebre,
mayo hocico de piélago me mordió el cinturón de la tempe-
    ratura
mayo de fiebres malvas y ciervo emborrachado de glóbulos
    celestes
en el sol tembloroso del ventrículo,
pequeño ciervo solo que devoto bebió
toda la sed dorada en las arterias.

Quise una enfermedad como un áncora cierta
para las horas que se desmienten,
áncora para el músico multiengendrador,
áncora para Bach y sus duros acólitos, y para la enramada ma-
    temática
y para todo lo que no me existe.

Quise la muerte para una sábana díscola, para el poeta y su
    bisturí,
para el libro y su verde más íntimo,
para el tono y su garganta ardiendo.

Quise la muerte para unos ojos sin norte,
para unos ojos de brújula sacra,
para los ojos jóvenes que se izan
a leer la estrella agreste de las diez.

Ojos, los ojos míos,
o bien ojos litúrgicos, agrandados de antorchas,

los ojos que grabaron con iniciales góticas
en el alma guerrera de un niño de diez años,
ojos de lirio helado en alfileres:
clavados en el mar de los taxidermistas.

Pero hablemos de ojos que desvanecen
las lámparas sin ti,
hablemos de las ardidas vincas de alcohol que tanto sufren,
mientras escribo versos como algas votivas,
como alambres de lágrimas, mientras siento tu noche y di-
  nastía.

*(De una niña de provincias que se vino a vivir
en un Chagall, 1981)*

Y CORRÍA LA SANGRE COMO UNA ESTATUA ROTA POR LAS
  HABITACIONES
mientras aullaban los príncipes sapos y los armiños se escon-
  dían entre el trigo
y corría la sangre como una estatua rota en el oro del musgo
y de la nieve
y potros como pajes delgadísimos se quemaban sobre la tierra
  espesa
y el unicornio joven hablaba de arte y prefería a Tiépolo y
  todo era pálido y cortés
y corría la sangre más niña sobre cabalgaduras encendidas
y los dulces lebreles inventaban el fuego pulsando caza calci-
  nada, ardor y soledad,
Se tiñeron los muros de cárdeno cruel, las murallas del mundo de un rojo que no existe,

y caían mis manos como presas y víctimas,
sollozaban por ellas los topos en mística ceguera y los lagartos.
Y fue la sangre pureza potencial,
dolor, ciencia y heráldica violenta
mientras las águilas dormían la primavera lejana.

(Báculo de Babel, 1986)

213

OFRENDA

Decidme, agua, fuego furioso, lluvia del infierno,
sobre la grande mar redoblan los tambores
del enemigo viento y retumban como campanas
los lingotes de cobre en la sentina.
Decidme, lastre o mercancía, fardos de especies, negros
fueron sacrificados al gran ladrón, fueron por la borda
sombras raptadas, ropas, animales
y una mujer.

(Elphistone, 1988)

MARINA

Te he visto, océano
te he galopado
a lomos de un violín
de madera pulida
de un potro alabeado
del color del cerezo
y eras, océano
un prado
de hierba azul
en movimiento.

Como si fueras
el propio olvido
te he visitado,
océano
emperador de las aguas
espejo profundo del cielo
y he visto, en tus eternas barbas de espuma
cereales azules y flores del silencio.

(1998)

Álvaro Valverde

(Plasencia, 1959)

Aporta a la poesía española rasgos de gran novedad. En sus libros más importantes, tal vez desde *Las aguas detenidas (1989)*, escribe una poesía atenta a la percepción del mundo externo, no por el dato sensorial en sí, sino como evocación de objetos cargados de recuerdos y significado para un poeta que practica la meditación metafísica sobre el fluir del tiempo y la vivencia del pasado. «Álvaro Valverde —dice Manuel Vilas— alcanza, además, un discurso de hondo contenido filosófico y hace de su poesía un sostenido misterio que el lector debe franquear animado por los símbolos y la musicalidad del verso» *(Heraldo de Aragón,* «Artes y Letras», Zaragoza, 27-IV-1989).

La poesía de Álvaro Valverde es meditación filosófica, pero íntima, emocionada y nostálgica. El poeta se detiene en lo efímero y en la fugacidad de la existencia. Gusta de la evocación detallada y emotiva, que capta el momento en sus formas, sombras y rumores, pero lo importante para él es la reflexión sobre alguna verdad profunda, por ejemplo, la constatación de la irrepetibilidad de un instante decisivo, el adiós final en una historia de amor: «No consiente una vida repetir en su ciclo / dos tardes semejantes...» («Acabament d'estiu»).

Los datos sensoriales concretos no distraen de una constatación sobre el sentido metafísico de la existencia irreversible.

Valverde medita en la soledad de su casa o jardín, a solas en su mundo, con sus recuerdos de infancia y con las vivencias más recientes. Cultiva el autorretrato y acentúa en él la experiencia o «visión del vacío», tan propia de nuestro mundo. También es consciente de la otredad, y llega a tener alucinados encuentros consigo mismo, en que practica el desdoblamiento misterioso de la personalidad o se contempla a sí mismo desde una doble perspectiva: «Tras las sombras nocturnas reconocí, alejándose, / la velada figura de mí mismo, distante» («Breve encuentro»).

Sin seguir la moda culturalista, la poesía de Valverde practica el diálogo constante con la tradición literaria. Aunque los ecos son, casi siempre, muy remotos, no podemos menos de pensar, a veces, en A. Machado, Guillén, Salinas, J. A. Valente, Claudio Rodríguez, Aníbal Núñez, Octavio Paz o en la tradición anglosajona. Pero el ensayista mexicano afirma que *Una oculta razón* «denota una gran madurez y una sabiduría psicológica poco común en autores de su edad» (Contraportada).

La poesía de Álvaro Valverde brilla por su lenguaje cuidado, un léxico bello y transparente, la nítida estructura de sus versos y la armoniosa visión de los objetos como portadores de hondos mensajes. El poeta sabe combinar la pulcritud verbal y formal con la hondura de su orientación metafísica. Un gran poeta.

OBRA POÉTICA:

Territorio, Badajoz, Departamento de Publicaciones de la Excma. Diputación Provincial de Badajoz, Colección Alcazaba, 1985.
Lugar del elogio, Mérida, Junta de Extremadura, Editora Regional de Extremadura, 1987.
Las aguas detenidas, Madrid, Hiperión, 1989.
Una oculta razón, Madrid, Visor, 1991.
A debida distancia, Madrid, Hiperión, 1993.
Ensayando círculos, Barcelona, Tusquets, 1995.
El reino oscuro, Mérida, Editora Regional de Extremadura, 1999.

I

A la hora desierta y fugaz del mediodía
cuando el azar devuelve en cifra acibarada,
como una representación de lo vivido,
el pasado y sus sombras; cuando somos
del lugar habitado sólo rumor de pasos
y apenas nada puede penetrar la existencia
que murada sucede y se demora —entonces,
retorna inextinguible una clara visión.
Las cosas permanecen en las cosas:
pasa la luz dudosa entre los arcos,
descansa en los balcones coloniales,
brilla en las aguas blancas del invierno.
Pasa la luz y nada y nadie acierta
en la adivinación. Los signos expectantes,
el cielo de amenaza. Las señales.
¿Acaso no ven el fulgor que lo anuncia?
El aire denso de los pabellones,
aún reconocible, su filtrado perfume
de cercanos magnolios, los viejos cenadores
donde anida el verano, a pesar de la nieve,
cada noche de luna. La música y su ausencia,
las furtivas escenas de caza junto al río
en busca de los pájaros de Arabia.
Una clara visión, el preludio,
lo por pasar pasado, la certeza
de vivir la memoria y su traición
desde la levedad que es el olvido.

Y no mentir por ello.
Rozar la luz,
el alud en que alivia la montaña sus ecos,
retener del verdín
la muerte dibujada en las adelfas.
Y decir la verdad.

(Las aguas detenidas, 1989)

LUZ OTORGADA

La gracia de evocar ciertas imágenes
es semejante al sueño.
Así, una tarde,
observas las montañas al poniente,
perceptibles y nítidas, al aire
de una luz irreal, reveladora,
que la niebla no impide transparente.
Y estás en otra parte, y desconoces
el nombre del lugar donde te encuentras;
en la extrañeza y en la incertidumbre
eres el extranjero que regresa
sin haber renunciado al territorio.
Allí, emboscado,
transitas las imágenes del tiempo
buscando las señales. Sólo entonces
empiezas a entender que el que recuerda
no es el mismo que ajeno se detiene
y en su disolución se reconoce.

ACABAMENT D'ESTIU

Fue a finales de agosto.
Los tilos alineados llenaban con su sombra
las losas del paseo. Al borde, un mar en calma.

Ajeno a otra presencia, caminaba despacio.
Junto a mí, caminabas.
Me miraste. Algo oí de unos ojos tristísimos,
de cierta cicatriz que cruzaba mi frente.

Atendía a mis pasos: inseguros trazaban
una falsa distancia.
Recuerdo haber sentido el viento húmedo,
la blanca claridad de las terrazas,
la irreparable pérdida que anuncian
las últimas cenizas del verano.

Ahora sé que esa tarde fue única.
Que en su pasar cerraba para siempre
la puerta de otro sueño.
No consiente una vida repetir en su ciclo
dos tardes semejantes: la intensa, doble imagen
de una afín despedida.

BREVE ENCUENTRO

Sólo el jardín cerrado y la tibia luz ocre.
Él estaba sentado junto a una mesa blanca.
Recordé nuestra cita, hubo presentaciones.
Mencioné algunos nombres, amistades comunes.
Al poco tomó un libro.
En su voz recorría mis lecturas secretas,
hurtaba a mi memoria el ritmo de otras horas,
mis recuerdos ocultos, lo que dije en silencio
y prometí callar, la demora encendida
de leerme en las líneas que alguien me iba dictando.
Escuché. Anochecía. «Hace frío», me dijo.
A mi espalda la verja se cerró quedamente.
Tras las sombras nocturnas reconocí, alejándose,
la velada figura de mí mismo, distante.

(Una oculta razón, 1991)

219

LOS OLVIDOS DEL JARDÍN

Allí lo abandonado dejó razón de un mundo.
No en vano aquellos sueños se encerraron
bajo la luz en sombra de los árboles,
entre el espeso seto de la alheña.
Para vivir, el aire se hacía lento
y en el invernadero sepultaba
la imagen del deseo y sus fantasmas.
Era aquél un recinto reducido
a vida vegetal, al verde exceso
de lo que apenas vive. Fue preciso
pensar en olvidarlo.
Su cerco alimentaba el poso de la huida.
Recorrer el jardín era ir marcando
la oscura trayectoria de un regreso,
el terco itinerario del rodeo.
Por eso, como símbolo, erigí
la especie circular del laberinto.
Bajo sus enramadas me creía
al amparo seguro de otro tiempo.
Detenido en sí mismo
un rumor reiterado daba cuenta del giro.
Sólo un reloj de sol —imperceptible—
evocaba el avance.
Allí lo abandonado me recuerda el momento
en que, por fin, supuse
el lugar devastado.
Imaginé las rosas floreciendo silvestres,
contemplé ya las fuentes arruinadas y secas
y vi las viejas sendas cubiertas de maleza.
Poco importaba ahora la memoria de entonces.
Temí no volver más cuando cerraba
su puerta para siempre.
Habité un día un jardín.

UNA MEDITACIÓN

Me asusta esta quietud. Miro a lo alto
y observo rocas rojas entre higueras,
ardientes tras la tarde de verano.
Hay helechos ya ocres entre los viejos robles.
Huele a fruta madura.
Caídos por el suelo, sus carozos ofrecen
un olor penetrante. A lo lejos, los pájaros
lanzan cantos muy breves.
Estoy a la espera; escucho.
Y me siento feliz. No sabría explicarlo.
Será por el recuerdo de alguna escena análoga
—de infancia a buen seguro—.
Será que la ciudad, recién abandonada,
se hacía insoportable en esta hora.
O será, acaso, el gesto elemental
por un paisaje próximo
donde es fácil sentir
la apariencia de un orden,
la sencilla armonía de lo vivo y lo ausente,
la verdad, la belleza
de la luz que se gasta.
Un lugar donde, a solas,
ser, simplemente, hombre.

POEMA DE AMOR

De verdad es ahora
cuando te reconozco.
Sólo a través del sueño
tus contornos son nítidos,
oigo clara tu voz,
recupero tus gestos

y tu lenta presencia
como el lento mecerse
de las aspas que giran
sobre nuestras cabezas.
Con la misma demora
con que tomas un baño
al final de la tarde.

Te conozco en la oscura razón
que sucede a la noche,
en la frágil frontera
de la luz, cuando el tiempo
es más real que nunca
o eso, acaso, parece.

A tu lado, aunque lejos,
tan en ti como ausente,
reconstruyo velado
tu otro rostro invisible,
el que en la edad dé forma
a la que en sueños eres.

(A debida distancia, 1993)

ES MEDIODÍA. EL SOL[21]
irradia con su luz este lugar,
que es otro sin las sombras
del sueño y del sigilo.
                    Nada esconde
el rayo vertical que se recrea

---

[21] La atmósfera de este poema sobre el verano la explica el propio poeta:
«El enclave de un viejo molino de agua, desprovisto ya de su práctica función
original en beneficio de la no menos ejemplar de servir para el retiro y el ocio,
es el referente de los poemas de la tercera sección de este libro, "Composición
de lugar"» *(Ensayando círculos,* pág. 105).

en claros y espesuras dando alcance
al lecho opaco y verde del canal.
Nada proyecta su revés de engaño
ni propicia la astucia de ocultarse.
La claridad, su don, parece apenas
un ápice de todo cuanto miro.
Suspenso, el aire,
se limita a servir de espejo a aquello
que plenamente existe. Sin rodeos,
la planta extiende el tallo, y reverbera;
el agua muestra el cieno de otras lluvias,
los cantos golpeados curso arriba.
Arde el fruto en razón. La luz se espesa.
Si estuvieras aquí, bastaría observar
—los dos juntos, al fresco
del tupido emparrado—
y sentir cuanto pasa como sólo sucede
lo que tiene importancia:
naturalmente, en vano,
quedo y puro, en silencio.
En el seco jardín, a pleno día,
cuando el tiempo se hace
de sopor y de olvido,
los recuerdos desgranan
su medida cadencia.
Alguien dijo que él era[22]
simplemente ese hombre
que ha pasado veranos
en el campo.
                    Seguir
pasándolos, supongo,
aunque no nos devuelva

---

[22] «Ese *alguien* a que se alude en el tercer canto es Juan Ferraté, quien en una carta escrita a su amigo Jaime Gil, fechada en Edmonton el 27 de octubre de 1963, y recogida en el libro *Jaime Gil de Biedma. Cartas y artículos* (Barcelona, Sirmio, Quaderns Crema, 1994), escribe: "¡yo soy el hombre que pasó sus veranos en el campo!". El poema está dedicado a J. M. Santiago Castelo» *(Ensayando círculos,* pág. 105).

la verdad pasajera
que quedó para siempre
enterrada con ellos,
hace acaso posible
recordar tristemente
que existió algún lugar
donde ser feliz fue
consecuencia inmediata
de sentirse con vida.

Aferrado a la luz
que no acaba, el deseo
es quedarse a este lado
solitario del mundo,
perdido para siempre
en su angostura,
en este laberinto
de ruinas y de vides.

CARTA DE LEJOS

(Fragmento)

....

Estoy frente a las costas
de algún país del sur.
Cercano en apariencia;
como todos, ignoto.
Desde el barco adivino
las ciudades doradas
que describe en sus páginas
un autor que ahora olvido.
Voy camino de Grecia.
Que en la tierra extranjera
me espera al fin la muerte
se me antoja —no dudes—
un mero disparate.

Soy joven. No me expongo.
Mi puesto no está en primera línea.
Con todo, te confieso
que no me importaría
dormirme para siempre
bajo la luz azul de esos olivos,
entre flores silvestres
—anémonas, orquídeas—,
mi nombre y mi epitafio semiocultos
entre la cruz y el mármol de una tumba.

(Ensayando círculos, 1995)

HE LLEGADO. ME ACERCO
con cautela a la orilla y distingo en las aguas
una suerte de antigua y fugaz transparencia.
Queda al lado un *desierto,* un lugar retirado
que una puerta franquea preservando el destino
de los hombres que huyen. Una breve vereda
que coronan cipreses nos conduce a la senda
reiterada, a los pasos
que se llegan a Yuste —el otoño dorado
de la hiedra rojiza y el estanque en penumbra—,
al jardín de Abadía —ruinas, mármol, canales,
Lope, acantos y olivos—.
Es difícil saber
sobre qué edificamos
la virtud. Qué lugares
—evocados o vistos— nos contienen.
Paredes,
tapias, huertos, bancales,
muros hechos de piedras
colocadas siguiendo cumplimientos idénticos.
Minuciosos remiten
a un estado de cosas que se pierde.

Enseñanzas
de la edad sometidas
a un complejo sistema en precario equilibrio.
Su presencia anticipa la verdad de la historia.
No es extraño volver, sorprendido, la vista
y caer en la cuenta: somos agua, y aun piedra;
árbol, río, retamas. Somos tierra. Hago mías
las razones de Anteo[23].

Arrancada a la roca la ruindad de los huertos,
empeñados en darle a las aguas su cauce,
embalsando su fuerza en los largos estíos,
aguardando la nieve transformada en torrente,
afinando en la viga la bondad de los troncos,
observando en las nubes la promesa de lluvia,
¿no cumplimos un ciclo necesario e idéntico?

(El reino oscuro, 1999)

---

[23] El poeta viene a sugerir que el contacto con la naturaleza nos presta nuevas energías. Anteo, gigante, hijo de Poseidón y de Gea (la tierra), vivía en Libia y desafiaba a los viajeros. Heracles lo ahogó entre sus brazos, «para lo cual tuvo que sostenerlo en el aire, pues cada vez que tocaba el suelo, la Tierra, su madre, le comunicaba nuevas fuerzas» (Herman Steuding, *Mitología griega y romana,* Barcelona, Labor, 1953, pág. 141).

Felipe Benítez Reyes

(Rota, Cádiz, 1960)

En sus primeros libros *(Paraíso manuscrito,* y más en *Los va-nos mundos, Pruebas de autor* y *La mala compañía)* aparece como un poeta sensible al embrujo de viejas escuelas como el modernismo, del cual se perciben ecos en el frecuente verso largo, el seductor ritmo musical, cierto vocabulario y los motivos de la vida bohemia («el fango celeste de la vida nocturna»). También se echa de ver el gusto culturalista y cosmopolita que habían puesto de moda los novísimos. La tradición literaria y artística ha dejado una profunda huella en su poesía. Pero Benítez Reyes, a pesar de estos ecos, sabe imprimir al verso un tono personal inconfundible que encanta al lector con su versatilidad y gracia expresiva. Como escribe J. L. García Martín: «Pocos poetas han acertado nunca a moverse con tanto garbo por "las callejuelas melancólicas / de la literatura", a bordear el tópico, la música fácil, el léxico convencionalmente poético, las metáforas gastadas, consiguiendo esquivarlos finalmente con un quiebro irónico» («La poesía», pág. 122).

Se podrían considerar *Los vanos mundos* y *La mala compañía* libros de un poeta ya maduro que cultiva una poesía de la experiencia, en que un protagonista lírico evoca situaciones capaces de emocionarnos como lectores. Benítez Reyes confiesa que ha «pasado de entender la poesía como una confesión a entenderla como un género de ficción. Tal vez la poesía no aspire a otra cosa que a convertir la persona en personaje» (L. A. de Villena, *Postnovísimos,* pág. 100).

227

Siempre asoma en su obra lírica el deseo insatisfecho, el desengaño o la ilusión frustrada. Con originalidad sorprendente evoca los recuerdos de una juventud que se acaba «con el sabor amargo de lo efímero» o la emoción de los encuentros fortuitos que deslumbran instantáneamente y se esfuman en su fugacidad irrecuperable («La desconocida»).

Así escribe el poeta gaditano una poesía del presente, preocupada por el paso del tiempo, en un lenguaje fácil y atractivo y con un registro irónico que implica un claro distanciamiento respecto a las experiencias evocadas. En *Vidas improbables* luce su agilidad verbal, sentido del humor e ingenio en la clave de los apócrifos machadianas. Es un poeta refinado capaz de reconstruir tanto el estilo de una obra como la retórica propia del lenguaje amoroso, según vemos en «Encargo y envío» de *La mala compañía*. Felipe Benítez Reyes es uno de los primeros poetas de su generación y representa en su poética y en su obra algunos rasgos centrales de lo que se suele entender por la «poesía de la experiencia», que resulta con él altamente enriquecida y prestigiada.

Obra poética:

Paraíso manuscrito, Sevilla, Calle del Aire, 1982.
Los vanos mundos, Granada, Diputación Provincial, 1985.
Pruebas de autor, Sevilla, Renacimiento, 1989.
La mala compañía, Valencia, Mestral, 1989.
Sombras particulares (1988-1991), Madrid, Visor, 1992.
Poesía (1979-1989), Madrid, Hiperión, 1992.
Vidas improbables, Madrid, Visor, 1995.
El equipaje abierto, Barcelona, Tusquets, 1996.
Paraísos y mundos (Poesía reunida), Madrid, Hiperión, 1996.
Escaparate de venenos, Barcelona, Tusquets, 2000.

EL MERCADER

I

Extendía la herida roja de las manzanas,
la blanca herida de palomas.
Su mundo eran monedas invisibles.
La eternidad era su mundo
y ofrecía la tarde
en bandejas mojadas por la sangre del viento.

II

Cada tarde llegaba el mercader. Unas monedas
bastaban para ver feliz el rostro
de aquel que asesinaba las palomas,
de aquel que mordió oscuro la manzana.

III

Nunca vimos su rostro y acaso lo besamos.
Andaba entre los jóvenes; velaba, verde y frío,
el sueño de doncellas, la vigilia de ancianos.
Estaba y no dormía. Su mano era de invierno.

IV

Vivir el otoño recordando ese mar
y temiendo el invierno inacabable
hacía su visita
más grata y más amiga. Sin embargo,
nos traicionaba siempre, nos ofrecía objetos sin valor
a precios altos. Y en su comercio
pensábamos la vida avanzar más gloriosa.
Nunca nos avisó de los peligros.

V

Cada tarde llegaba el mercader
con nuevas baratijas. Ilusionados
a su encuentro corríamos y alegres,
jarrones de cristal y blanco humo,
cuerpos, teselas, sombras...
Nunca nos mintió en vano:
era su juego eterno y era triste.
Al paso de los años nos amó con más fuerza.

Cada tarde llegaba el mercader, el tiempo,
extendía las manzanas...

(Paraíso manuscrito, 1982)

LA DESCONOCIDA

En aquel tren, camino de Lisboa,
en el asiento contiguo, sin hablarte
—luego me arrepentí.
En Málaga, en un antro con luces
del color del crepúsculo, y los dos muy fumados,

y tú no me miraste.
De nuevo en aquel bar de Malasaña,
vestida de blanco, diosa de no sé
qué vicio o qué virtud.
En Sevilla, fascinado por tus ojos celestes
y tu melena negra, apoyada en la barra
de aquel sitio siniestro,
mirando fijamente —estarías bebida— el fondo de tu copa.
En Granada tus ojos eran grises
y me pediste fuego, y ya no te vi más,
y te estuve buscando.
O a la entrada del cine, en no sé dónde,
rodeada de gente que reía.
Y otra vez en Madrid, muy de noche,
cada cual esperando que pasase algún taxi
sin dirigirte incluso
ni una frase cortés, un inocente comentario...
En Córdoba, camino del hotel, cuando me preguntaste
por no sé qué lugar en yo no sé qué idioma,
y vi que te alejabas, y maldije a la vida.
Innumerables veces, también,
en la imaginación, donde caminas
a veces junto a mí, sin saber qué decirnos.
Y sí, de pronto en algún bar
o llamando a mi puerta, confundida de piso,
apareces fugaz y cada vez distinta,
camino de tus mundos, donde yo no podré
tener memoria.

ADVERTENCIA

Si alguna vez sufres —y lo harás—
por alguien que te amó y que te abandona,
no le guardes rencor ni le perdones:
deforma su memoria el rencoroso
y en amor el perdón es sólo una palabra
que no se aviene nunca a un sentimiento.

Soporta tu dolor en soledad,
porque el merecimiento aun de la adversidad mayor
está justificado si fuiste
desleal a tu conciencia, no apostando
sólo por el amor que te entregaba
su esplendor inocente, sus intocados mundos.

Así que cuando sufras —y lo harás—
por alguien que te amó, procura siempre
acusarte a ti mismo de su olvido
porque fuiste cobarde o quizá fuiste ingrato.
Y aprende que la vida tiene un precio
que no puedes pagar continuamente.
Y aprende dignidad en tu derrota,
agradeciendo a quien te quiso
el regalo fugaz de su hermosura.

(Los vanos mundos, 1985)

NOCHE DE SAN JUAN

Qué secreta y hermosa
es la noche festiva para aquel
que no tiene pasado: un tiempo frío
dentro del corazón.
                    Qué exacta noche
de fuego y juventud.
                    Qué diferente
ya de cuando éramos
aquellos que en la sombra
furtivos se besaban y reían.

Las muchachas se obsequian como entonces
y los amigos beben en una copa igual
a la que ya apuramos cuando fuimos
como estos que ahora se adueñan de la vida.

(Sombras particulares, 1992)

232

LA CONDENA

El que posee el oro añora el barro.
El dueño de la luz forja tinieblas.
El que adora a su dios teme a su dios.
El que no tiene dios tiembla en la noche.

Quien encontró el amor no lo buscaba.
Quien lo busca se encuentra con su sombra.
Quien trazó laberintos pide una rosa blanca.
El dueño de la rosa sueña con laberintos.

Aquel que halló el lugar piensa en marcharse.
El que no lo halló nunca
es desdichado.
Aquel que cifró el mundo con palabras
desprecia las palabras.
Quien busca las palabras lo cifren
halla sólo palabras.

Nunca la posesión está cumplida.
Errático el deseo, el pensamiento.
Todo lo que se tiene es una niebla
y las vidas ajenas son la vida.

Nuestros tesoros son tesoros falsos.

Y somos los ladrones de tesoros.

LA PALABRA

La mano que reposa en la mano de amante,
jugando con la joya de algún aniversario.

Los tacones rojos de una puta vestida de rojo
por el pasillo de un hotel de alfombras rojas.

La adolescente que se pone los calcetines escoceses
en un almacén de bebidas,
sentada sobre un fardo de cartones, mirando su reloj,
contando unos billetes.

El jubilado que vuelve
a casa con un ramo
de rosas sin abrir —y medio siglo
vivido ya con esa vieja
que cocina sin sal y apenas habla.

El cliente del *peep-show*, mirando
a través del cristal de la cabina
—como un caleidoscopio de quimeras y bragas—
el girar de unos cuerpos que sonríen.

El muchacho que entra en el bar de ambiente
con ojos de gacela lastimada.

El viajero que besa la foto familiar.

El viajero que desliza
por el mostrador la tarjeta
de crédito y se pierde
con la muchacha elegida por el laberinto de los reservados
bajo las luces especiales de un reino de peluche.
El que pronuncia un nombre, y no se duerme,
y abraza la almohada.

Los colegiales que se besan en los jardines del internado.

La separada joven que mira el teléfono,
rogándole que suene.

El señor atildado que detiene su coche en una esquina
y cierra un trato
con el chapero de las zapatillas de deporte.

El niño que busca el cuarto oscuro
para quedarse a solas con la gélida
imagen de una modelo de revistas de moda.

Contra nosotros mismos: lo que llamamos amor.

Y cada cual pronuncia esa palabra
con un secreto temor y una secreta demencia.

LA EDAD DE ORO

Lo que el tiempo se lleve
que sea tanto
como aquello que el tiempo nos dio,
regalo inmerecido,
dejando la memoria en la inocencia
de la vida cumplida, porque nada
hiere más y más hondo que el recuerdo:
mientras dure una noche en la memoria,
esa noche es la Noche
y esa intensa memoria la Memoria.

Llévese el tiempo todo
lo que quiera llevarse,
porque todo fue suyo desde siempre.

Que desvanezca el tiempo
el oro delincuente del amor
y la imagen hermética de aquello
que llamabas pasado
                                    —y era apenas
ayer: la fugitiva
edad de no tener
edad para el pasado.

Edad de Baudelaire y de muchachas
que adquirían nociones de la vida

en las últimas filas de los cines
y en esos viejos cines de posguerra
convertidos
en locales de baile que cerraban
cuando el cielo quería amanecer.
Amaneceres de domingo,
volviendo a casa con
un vaso aún en la mano
y con tabaco extraño en el bolsillo,
a esa hora en que abrían los cafés
y las damas de caridad montaban mesas
con carteles de niños moribundos.

Y era la muerta luz que amanecía
la metáfora helada y la exacta ilusión de estar quemando
las naves de la eterna juventud.

Pero en su coche fúnebre
el tiempo iba admitiendo pasajeros.

Y las naves quemadas son ceniza,
y muy poco de eterna
tuvo la juventud.

Así que arrastre todo, que se lleve
en su vértigo el tiempo la memoria,
                                                    dejando
un vacío perfecto en el pasado.

Porque todo recuerdo
se acaba corrompiendo en el presente.
Y este presente ya
de poco va a servirnos.

De poco va a servirnos
el saber que hubo un tiempo en que la vida
valía su peso en oro.

Porque la vida pone
su casa en el pasado.

Y esta casa sombría no parece la nuestra.

(El equipaje abierto, 1996)

Carlos Marzal

(Valencia, 1961)

Tras la publicación de *Los países nocturnos* en 1996 fue saludado como «uno de los mejores poetas de los últimos tiempos» (F. J. Díaz de Castro, «Carlos Marzal: Nocturnidad y alevosía», pág. 26). Ya sus primeros libros, *El último de la fiesta* (1987) y *La vida de frontera* (1991), le dieron a conocer como poeta que cultiva una poética de la experiencia, y se va forjando su personaje lírico de ficción con un humor cargado de guiños irónicos y cierto sentido moral. Se constataba un lenguaje coloquial, el uso de formas métricas tradicionales y el apego a la rima, aparte de un tono de escepticismo y desaliento. J. J. Lanz resaltaba «el gusto por los ambientes urbanos y nocturnos» y «la expresión popular y canallesca» (J. J. Lanz, «Carlos Marzal», pág. 96). Tanto éste como otros críticos descubrían en su poesía ecos de Manuel Machado, Gil de Biedma y Francisco Brines, maestros, sin duda, admirados del poeta valenciano.

Su poesía luce también resonancias clásicas de sátira horaciana cuando con fina parodia adopta un contexto y tono aparentemente moralizante para fustigar la moral burguesa en su institución más venerada, el matrimonio («El autor amonesta a un amigo»). En otro poema, Marzal proyecta su propio personaje o la imagen que en sus versos forja de sí mismo al recordar sus hábitos y su posible epitafio de frívolo y descreído hedonista («In memoriam C. M.»).

Los países nocturnos, continuando en la tónica de una poética de la experiencia, refleja toda una filosofía de la vida escéptica y desencantada dentro de un vacío existencial que en parte ya nos era familiar. A veces se proyecta en una «nostalgia indefinida» y en ilusiones utópicas que le sugiere la moderna tecnología («American poem»), y otras vaga el poeta por las tardes sin sentido que frustran deseos y esperanzas y que acaban en noches «un poco más absurdas» («Derivas»).

Un conocido crítico nos da la visión sintética y acertada de esta poesía: «La ironía, la expresión realista, descarnada incluso, que acompaña a un intimismo que se salva de la expresión romántica por el distanciamiento irónico, la conciencia de que la literatura es una falsificación más de la vida, una conciencia completamente vitalista fundada en el placer y la felicidad como máximas metas de la vida, son rasgos que definen la poesía de Carlos Marzal» (J. J. Lanz, «La poesía española: ¿hacia un nuevo romanticismo?», pág. 44).

OBRA POÉTICA:

El último de la fiesta, Sevilla, Renacimiento, 1987.
La vida de frontera, Sevilla, Renacimiento, 1991.
Los países nocturnos, Barcelona, Tusquets, 1996.

EL AUTOR AMONESTA
A UN AMIGO[24]

Vuelves a ser, mi bien amado Fabio,
noticia entre las gentes.
Me refieren que vives obcecado
en un amor malsano nuevamente;
que alguien rige tus noches y tus citas,
y tu cuenta corriente.
Se trata al parecer de una muchacha
desconocida en los ambientes,
un gatito de angora bendecido,
uno de ésos con quienes a veces
todos hemos pensado en ser dichosos,
aburridos y fieles.
Los que nunca te amaron hoy se jactan
de conocer quién eras desde siempre:
un lobo desdentado que aspiraba
a un matrimonio en donde guarecerse.

---

[24] El título y primer verso a «mi bien amado Fabio» nos traslada al mundo de la sátira de Horacio y de sus imitadores del Siglo de Oro como Rodrigo Caro en su poema «A las ruinas de Itálica», que comienza con el verso «Estos, Fabio, ay dolor que ves ahora». El ideal de la «aurea mediócritas» horaciana y el tono moralizante inspirado en la intertextualidad pagano-cristiana choca con los consejos reales que le da y con la aguda ironía desacralizadora de la institución matrimonial y de otros valores burgueses. Una vez más se reciclan viejos tópicos y formas poéticas impregnándolas de una nueva sensibilidad y vitalidad.

Y que apenas si fuiste para el mundo
una suerte de bonito juguete,
comentan ya con sorna por los bares
los que afirman quererte.
Prefiero que imagines lo que opinan
tus antiguas clientes.
De todo lo que he oído en estos tiempos,
encuentro sólo digno de temerse
—y por ello quisiera, mi buen Fabio,
amonestar tu conducta imprudente—
que hayas abandonado los cosméticos
y no lleves pendiente;
que el rimmel no insolente tus pestañas,
y no hables en latín a las mujeres,
antes de retirarte a tu ataúd
huyendo del mal día que amanece.
No menos me ha alarmado, Fabio amigo,
saber que ya no bebes.
De lo demás no creas convencerme;
sería proceder contra natura
querer fingir absurdos intereses:
sólo con damas caras y perversas
has podido alguna vez perderte.
Por ello me figuro que ahora intentas
jugar a ser trapense.
Debes estar soñando, y me pregunto
¿a qué vas a jugar cuando despiertes?
Si en todo lo que he dicho me equivoco,
y has podido encontrar nuevos placeres
en la moderación, quiero librarte
de tu aforismo célebre:
Mi corazón se lo he dado a las ratas,
en vista de que nadie lo merece.
Podrás en breve acuñar algún otro
con el que ser noticia entre las gentes.

Amado Fabio, sea como fuere,
si no felicidad, que es bien mudable,
te envío plenitud, que permanece.

Hagas lo que hagas, al final, sabemos
que todo habrá de ser indiferente.
Se perderán tus juegos y los míos,
como todo se pierde.

IN MEMORIAM C. M.

Evoco su figura en la noche crecida,
en un bar, entre amigos y música estridente,
alargando en exceso su charla intrascendente,
mientras apura un vaso ya corto de bebida.

Si cada cual erige una forma de huida,
la suya fue entregarse a placeres menores.
Lo imagino diciendo, circunspecto: *Señores,
los caminos son muchos, pero es una la vida,*

*y confieso que es tarde para encontrar remedio
certero que corrija mis torpes aficiones
—las armas y el billar, el cine y los putones—,
con que intento aplacar a las bestias del tedio.*

*Y por lo que a la gloria concierne, no me queda
sino decir, en serio, que cedo mi Parnaso
por poder destrozar una falda de raso
y degustar tras ella un encaje de seda.*

Estuvo interesado, antes que en la verdad,
en juzgar los ropajes con que abyecta nos mira
la muerte disfrazada, urdiendo su mentira
en los turbios espejos de la frivolidad.

Sus conocidos cuentan que malgastó el dinero
en hijas de familia y en ángeles enfermos,
por romances plomizos, por amoríos yermos,
también por puro amor, por puro amor rastrero.

La parte de dolor que le otorgó el azar
trató de soportarla sin disgusto excesivo,
así que por la dicha no dio gracias, altivo,
pues lo que merecía no quiso mendigar.

Bebió con avidez, pero fue por estética,
se encontraba atractivo con un vaso en la mano,
brindando a la salud de algún asunto vano
y ensayando una risa de clara estirpe herética,

con la que no asustaba a ningún auditorio.
Esperaba de su alma una vida inmortal,
por no perderse el gesto de sorpresa final
de los viejos amigos, aquí en su velatorio.

Me dijo en un alarde de trágica humorada:
Te lego mi epitafio, así serás el dueño
del verso con que quiero se presida mi sueño:
«Gozó de vez en cuando, pero no entendió nada.»

Ruego a las frías diosas que regirán su olvido
no sean inclementes con su holgazanería
y prodiguen con él su extensa cortesía.
Así sea, por siempre, con el que ya se ha ido.

(El último de la fiesta, 1987)

CONSOLACIÓN DE LA LITERATURA

Por las aguas del cuerpo y de la mente,
la ciudad fluye hacia ninguna parte.
De vivir nos consuela sólo el arte,
que es estar con la gente, sin la gente.

MEDIA VERÓNICA PARA
DON MANUEL MACHADO

La crítica, tan crítica, tan lista, me ha indicado
que soy nieto cercano de don Manuel Machado.
Y aunque lo puse fácil, lo normal es el hecho
de que jamás los críticos embistan por derecho.
Hay que enseñar el trapo, embarcarlos muy lento,
darles tiempo a pensar, lidiar con fundamento.
Si se les saca un pase ya es toda una faena;
lo normal es que doblen las manos en la arena.
Qué le voy a contar, don Manuel.
                                    He pensado
que usted, en su barrera, me observa con agrado.
Me ve cargar la suerte y jugar bien las manos,
lo que no es muy frecuente entre nuestros hermanos.
Disfruta con los plagios con que le doy salida
a ese toro con guasa del hierro de la vida.
Y aunque mi repertorio es corto y sin alardes,
puedo estar en poeta, al año, algunas tardes.
Por eso le he copiado —para usted, don Manuel—
esta media al gitano, de Paula, Rafael.
Venida de muy lejos, mientras me quedo quieto,
oscura, lenta y única. Para usted, de su nieto.

DOMINGOS BAJO LAS SÁBANAS

Vuelve a la cama y tápame de nuevo,
que aquí bajo las sábanas no hay nada
que pueda hacernos daño. En esta almohada
se encuentra la frontera de los sueños.

Anoche —aunque era sábado—juraste
que en la ciudad, sin mí, no hay aliciente.

245

No te lo tomo en cuenta, soy consciente
de que hablaban en ti los dioses bares.

Pero si algo de aquello aún está vivo,
por pequeño que sea ya es bastante,
para perder, de ahora en adelante,
esta triste mañana de domingo.

Perderemos el tiempo y perderemos
el uno por el otro la cabeza,
pues la más cierta de cualquier certeza
es que es buena ocasión para perdernos.

Vuelve a la cama ya, tras la ventana
no ocurre nada digno de memoria:
la calle, la ciudad, la misma historia
que ocurre cuando nunca ocurre nada.

La vida, en este hotel, no ha de encontrarnos
mientras tú y yo queramos que así sea.
Esa vida que aturde y nos marea
ha de dejar de ser si nos tapamos.

Las aguas del domingo arrastran lejos
a la ciudad deshecha que nos cerca
y que aún amamos de una forma terca
con el afecto idiota de los perros.

¿Quién dijo que cualquier cuerpo fatiga
y aburre, al despertar, por conocido?
Si yo lo dije estaba confundido,
tu cuerpo es la excepción a ese sofisma.

Si no es perfecto, está pensado al menos
para que crezca firme en su interior
esa maldita e inmarcesible flor
del benigno demonio del deseo.

La he llamado maldita porque así
me enseñaron los Padres Dominicos.

Y tenían razón, pues ha hecho añicos
más de un buen nombre y más de un porvenir.

Pero teniendo en cuenta que el buen nombre
ya lo he echado a perder, y que el futuro
pertenece al azar y es inseguro,
quiero que tu demonio me conforme.

Vuelve y no hagamos caso de la luz.
La noche de ayer noche aún nos dura.
Nos reiremos de la literatura,
que es un arte menor cuando estás tú.

Ya ves que desvarío, ven aquí
o seguiré diciendo tonterías,
y aunque te gusten mis filosofías
vuelve a la cama *et qu'on n'en parle plus.*

(La vida de frontera, 1991)

AMERICAN POEM

Viendo perderse el coche,
autolavado adentro,
mientras el agua bate esta gran cristalera,
no sé si por cansancio, por mal humor
y por falta de sueño,
imagino la vida perfecta, renovada
a cambio nada más de unas monedas.
Imagino un cartel vacilante
en medio del desierto:
Abrillantado de las ilusiones.
Cepillado del alma.
Lavado a fondo de cualquier infortunio.
Secado cuidadoso de la memoria harta.
Y pagar y marcharse.
Dinero fácil, fáciles esperanzas,
vida fácil.

Viendo perderse el coche,
tren de lavado adentro,
me asalta una nostalgia indefinida
y perpetro absurdas teorías sobre los paraísos.

DERIVAS

A Celina, Emilia y Pere Rovira

Vagar por la ciudad sin hacer nada,
en la deriva de una tarde absurda,
es una ocupación como cualquiera,
y que, como cualquiera, nos ayuda
a no entender la tarde, a no entender
esa ciudad, a no entender ninguna
de todas nuestras vidas toleradas.

(El sol ya ha declinado. Por las turbias
aguas de nuestra tarde, cada cual
naufraga en solitario. La locura
tiene un orden, un ritmo y un idioma.)

Nada son las ideas, las lecturas,
las experiencias y las ilusiones
en el sinrumbo de esta singladura.
Ninguna tarde lleva a ningún puerto,
en ningún puerto atraca la fortuna
que no recuerdo bien dónde perdimos,
en la deriva de otra tarde absurda.

Pero ¿quién dijo que las tardes deben
tener sentido? Que yo sepa, nunca
se dijo en mi presencia. ¿Quién ha dicho
que se nos vaya a conceder la música
por la que el mundo gira? ¿Quién ha dicho
que esa música exista y que su pura
melodía redima del dolor?

Las tardes —esta tarde— nos expulsan
del jardín de la infancia. El corazón
no obtiene por moneda la ternura
que alguien le prometía. ¿Y quién nos dijo
que nuestro amor y los jardines duran?
Tener razón es triste, y aún más triste
es que de esa razón no exista duda.

Eso ocurre en la tarde. No se entiende,
pero sucede igual. En la impostura
de la ciudad y de nosotros mismos,
el corazón y el mundo con su música
y el amor y la infancia y sus fantasmas
y el jardín y el dolor y la ternura,
se pierden vida abajo, a la deriva,
rumbo a una noche un poco más absurda.

(Los países nocturnos, 1996)

Esperanza López Parada
(Madrid, 1962)

Es profesora en la Universidad Complutense de Madrid y ha escrito sobre crítica literaria en suplementos culturales y revistas. Practica un tipo de poesía de gran rigor y corte intelectual según refleja su obra y su alto concepto de lo poético, y ha sido incluida en varias antologías, entre ellas *La prueba del nueve* de Antonio Ortega. Para esta autora, el lenguaje lírico aspira a los más altos niveles, ya que lo que pretende expresar es el misterio: «Calcular el misterio, indagarlo y determinar *la cantidad que corresponde a cada época*, pero destacar asimismo lo inútil de cualquier voz frente a él» (E. López Parada, «Poesía joven...», pág. 10).

Con *Los tres días* (1994) logra abrirse camino en el mundo de la poesía con poemas de gran belleza y claridad. «El lenguaje de Esperanza López Parada —dice Antonio Ortega— es uno de los más lúcidos y laboriosamente trabajados de la poesía actual, sucinto a veces y riguroso; cada palabra ocupa su sitio inamovible, iluminando una textura que adquiere un grado de belleza que no impide su exactitud» *(El Urogallo*, 9-10, 1994). Así lo podemos ver en poemas donde con brevedad, precisión y un lenguaje transparente y lúcido sabe evocar situaciones de un mundo lejano (el mundo clásico grecorromano) envueltas en el temblor de una emoción real («Estela de un joven de Salamina», «Estela de Hegeso», «Estela de muchacha romana»). La poeta cultiva también la metapoesía cuando tomando como símbolo «una tórtola» describe su ansía de experiencias vividas para cantarlas en sus versos: «reco-

rrer algún cielo y después referirlo» («Lo que quiere una tórtola»).

Los tres fragmentos inéditos que siguen, puestos a nuestra
disposición por la autora, son del poema «La caída», parte de
un nuevo libro a punto de ser publicado por Editorial Pre-Textos con el título *El encargo*. Esperanza López Parada habla con
voz queda y serena, y «en un lenguaje que se nos muestra
como uno de los más lúcidos y trabados de la poesía actual»
(A. Ortega, *La prueba del nueve*, pág. 29). Su poesía se expresa
con gran precisión y eficacia.

OBRA POÉTICA:

Como fruto de fronteras, Madrid, Arnao, 1984.
Género de medallas [con Ramón Cote], Madrid, El Crotalón, 1985.
La cinta roja (plaquette), Málaga, Caffarena, 1987.
Los tres días, Valencia, Pre-Textos, 1994.

CON ÉL NO TENGO PROPIAMENTE TRATO
ni intercambio jamás ningún saludo.
Pero le espío cada vez que sale,
miro que no se halle donde se halla
y así no descubro su cuerpo. Descubro
el hueco abandonado de su cuerpo.
Del otro sólo conozco que está fuera,
lo que es un relativo saber y sin objeto.
No averiguo de él más que su ausencia.

DOCE MESES ESTUVE JUNTO A SU TAPIADA VENTANA
y una jornada más aguardando que se levantaría
y traería flores o palmas, el signo de los resucitados,
que vendría para desatar de cada hueso mío, mi nostalgia
y el miedo que me enreda las manos,
que hacia mí movería sus ojos.
Pero nada pudo hablar ni hizo un gesto
ni una palabra se escapó de su sitio.
Solamente escuché su ropa desatándose,
desatándose la vida en el húmedo hueco.

ESTELA DE UN JOVEN DE SALAMINA[25]

Si tenía un tenso corazón en medio de los hombros
y el peso de su hígado era exacto,
exacto el equilibrio de humores y perfecto
el salto de sus músculos.

Sólo pudo morir porque una delgada furia
vino a amar el traje de ocaso que es su carne.
Y a nosotros nos daña con su hermosura deshecha
y el negro más negro de su sombra.

ESTELA DE HEGESO

Apretados zafiros y breves esmeraldas,
malvados ópalos y candentes rubís,
el oro que envuelve los tobillos
y la plata que suena en las muñecas,
mis joyas, mi júbilo y mi angustia, mis delgadas armas,
el cuerpo que os sostuvo ya no existe,
los labios que os despiden ahora se marchitan.

---

[25] Este y los siguientes poemas aluden a estelas funerarias del mundo clásico grecorromano con sus epitafios, posiblemente vistos en la *Antología Palati-
na*. La poeta a través de estas estelas nos evoca las vidas oscuras e ignoradas de
diversas personas, existencias envueltas en los misterios de la historia. En este
poema, llevada por el prestigio cultural del mundo clásico y el culto a la juventud y a sus héroes olímpicos, la poeta habla de un joven, tal vez deportis-
ta olímpico (así lo sugiere al exaltar su corazón, hígado, humores y músculos),
a quien, como era uso, su ciudad natal Salamina dedica esta estela funeraria.
Sólo una furia pudo enamorarse de este brioso cuerpo («traje de ocaso») y de-
jarnos «con su hermosura deshecha».

ESTELA DE MUCHACHA ROMANA

Llevas una amapola sujeta en el pelo
porque confundes letargo
                          con el lugar donde vas.

Llevas medio caída la túnica
porque el lugar donde acudes
                          con amor lo equivocas.

Marchas desnuda y dormida.
Nadie osa sacarte de tu error.

ESTELA DE UN CAMINANTE DESCONOCIDO

Pensativo, sin declarar su origen,
ni dónde sus padres, en qué provincia su altar,
enfermo y semejante a un dios en lo incierto,
en lo acabadamente mudo, este hombre llegó hasta aquí
y aquí descansa, en un punto ignorado
entre la despedida de los suyos y la noche.
Aquí se acuesta, callado y último
en el tiempo agotado de su viaje.

LO QUE QUIERE UNA TÓRTOLA ES FÁCIL DE DECIR:
quiere un amplio desierto, una multitud de arena,
una extensión que atravesar y extenuarse.
Quiere visitar al sabio en su cuarto y llevarle noticias.
Esto es lo que pretende y con lo que se alegra,
recorrer algún cielo y después referirlo.

Mientras tú lees a una cierta distancia del libro,
tu vida se aparta de ti y organiza este espacio que vemos.
Se acerca sigiloso un león por los corredores,
crece el naranjo diminuto y rígido en su tallo,
la codorniz y el pavo real se pasean,
se guarda la negrura en el tintero
y con todo el peso cuelga el paño de su clavo.
Es tu espíritu quien establece estos hechos,
los oculta en sí mismos, los defiende y los sirve,
como la lluvia detenida fortalece
el verde de los bosques.

Cuando él me contó que había visto por primera vez
    nevar
tras su visita a la iglesia de Toulouse,
comprendí, por su asombro, los beneficios
que sobre un ser obran algunos fenómenos,
a través de los efectos de la nieve en su imagen del mundo.
Porque él hablaba del silencio que la adelanta y la denuncia,
un agua antes oída y sólo escuchada,
casi desde el borde de la tumba de Tomás extendiéndose.
Hubo quietud más tarde y el viento se redujo.
Las cosas se mantenían calmas, precisas y mirándose,
al cabo de tanto —según me dijo— ya perfectas.
Y todo ello era como una figura pacífica,
algo sensato para recordar y ser descrito.

(Los tres días, 1994)

LA CAÍDA

....

Por ti he descubierto algo, aunque no seas
tal vez tú el motivo ni siquiera una causa.

Más bien fue a tu través que me topé con ello,
como a espaldas de ti, como sin tu concurso.
Y en realidad tampoco yo encontré nada,
fui hallada por algo que se miró en nosotros,
que se apoyó en los dos para mezclarse en ambos.
Ciegos, sobrecogidos, de tal modo voraces,
estábamos tan limpios que parecíamos topos,
llevando esto que en verdad nos llevaba,
en lo que no tuvo parte la voluntad de alguno,
esto que libérrimo se sirvió en estas bocas,
que en ellas y por ellas a sí mismo se dijo.
Soportemos entonces la distancia impaciente,
bendigamos la nada perfecta que nos colma,
la caída infinita de un hecho en un hecho,
como reyes celebremos los ciclos y las horas.

OSCUROS VAMOS HACIA LA LUZ FEROCES
como esos animales sumergidos
Que sin haber visto nunca el sol
Excavan hacia el este y se comen
La tierra, el polvo. Se retuercen
Quemados de un incendio nocturno.
A oriente miran. Viven en su madriguera,
Tan lentos, el lento surgir de la aurora.
Testimonio dan de un bien incomprendido.

FLORES EN EL PUNTO DEL PUENTE DONDE ALGUIEN SE DEJÓ
    CAER.
Las aguas se movieron apenas, recogiendo lo que descendía.
Hombre o piedra, a ellas, las sedientas, les era indiferente.
Tampoco se conmueve mucho más este reino de arriba,
No se altera fuera de lo preciso. Al lado de sus ofrendas,
Al lado de sus envueltos ramos, paso yo igualmente.
Como un genio menor, desoigo el sacrificio.

(El encargo, inéditos)

Roger Wolfe

(Westerham, Reino Unido, 1962)

Su obra revela una personalidad poética muy original. Aunque pueda recordarnos ciertos puntos de contacto con la poesía bohemia de fines del XIX (de moda entre otros poetas del día), su despego, visión crítica y el amargo distanciamiento de su mundo es de sello muy diferente. Su poesía está lejos de todo culturalismo o neopurismo, y de los maestros que solían inspirar a otros contemporáneos suyos. Sus libros principales, en palabras de Luis Alberto de Cuenca, «bajo el signo de una poética revolucionaria, inspirada en modelos anglosajones como [Raymond] Carver o [Charles] Bukowski, han subvertido el orden imperante en la poesía española de los noventa, más bien proclive en sus cultivadores más conspicuos a un clasicismo tradicionalista» *(Poesía en el campus,* Zaragoza, 40, Curso 1997-1998, pág. 4). Su poesía choca con todo lo que solía ser considerado poético, cultivando una lírica alejada de todo intento esteticista y, más bien, desaseada y tosca.

Con ello abre nuevas esferas y registros a la poesía de la experiencia, en cuya proximidad se mueve, arrastrándola hacia un realismo crudo y sórdido, al que algunos llaman *realismo sucio,* en que el alcohol, la droga, la soledad, el miedo, el tabaco, el caos y el hastío de una existencia sin sentido en un mundo absurdo parecen prestar al poema un sabor amargo con dejos de cierto humor irónico e inquietante. Pero interpretando una cita de W. Saroyan, que aduce en *Días perdidos en los transportes públicos,* la conclusión de Wolfe es que, «a pesar de todo, la vida merece ser vivida, a pesar de la podredumbre, de la desesperación, del caos» *(Ajoblanco,* Barcelona, diciembre de 1994, pág. 62).

Lo más logrado de este realismo sórdido de lo cotidiano es que Wolfe sabe expresar con fuerza y lirismo la angustia y desesperanza que suscita la experiencia de cada día, o como dice García-Posada, «transfigura la mediocre materia urbana en un discurso líricamente eficaz» *(El País,* «Babelia», 19-VI-1993). Se ha dicho que Roger Wolfe canta epopeyas de lo trivial y diario, lo que resulta inexacto, ya que el poeta nunca prorrumpe en alabanzas a su entorno, sino que lo describe con lenguaje desnudo y una mueca irónica. La alusión es más bien sarcástica, como en «Algo más épico sin duda» de *Mensajes en botellas rotas.* Ello viene a constituir la estructura de gran número de sus poemas, que son una descripción o «la narración muy escueta de sucesos de la misma índole [que] abocan al lector a un punto en que el hastío se hace palpable» (V. García de la Concha, *ABC,* Madrid, 9-VII-1993).

OBRA POÉTICA:

Diecisiete poemas, Málaga, Ángel Caffarena, 1986.
Días perdidos en los transportes públicos, Barcelona, Anthropos, 1992.
Hablando de pintura con un ciego, Sevilla, Renacimiento, 1993.
Arde Babilonia, Madrid, Visor, 1994.
Mensajes en botellas rotas, Sevilla, Renacimiento, 1996.
Cinco años de cama, Zaragoza, Prames, 1998.
Enredado en el fango, Oviedo, Colección Línea de Fuego, 1999.

MÚSICA DE RECÁMARA

Ha puesto a Bach
en el *cassette*. Me ha dicho
que se iba a ver a unas amigas
—un favor, me ha recordado, que le debe
a no sé quién—. Yo leo un libro,
fumo; el cenicero
está sobre la colcha.

                    He apagado todas
las luces de esta casa. Y al volver
—los pies desnudos sobre el mármol—
de la cocina, en una mano el café,
el ascua roja del cigarro en otra,
me he detenido, como con miedo, casi,
a escuchar el latido acompasado
de mi corazón.

LLÁMAME

—Lou Reed—

Tu padre se está metiendo coca, tu madre
no te deja estar, y ahora que por fin habías decidido
desechar otros vicios que no fueran
el condenado tabaco y el café.

Llegas a casa, enciendes la T.V.
Trasplantes de hígado, qué comemos,

tensión en Pakistán.
Las enfermedades del recto.
Que lo hagas con control.

Se te ha muerto un amigo de la infancia
de algo que ni siquiera sabes pronunciar.
Se te ha averiado el coche
en pleno atasco. La semana pasada se llevaron
el teléfono, la que viene te van a cortar
la luz.
No puedes pagar el alquiler, trabajas
para un imbécil, y tu mujer te dice que quizá
ya vaya siendo hora de tener un hijo.
Tal vez dos.

Pero ya lo sabes, viejo, que te quiero.
Son cinco duros.
Llámame.

HOMENAJE A LOS POETAS MEDIO MUERTOS

No recuerdo exactamente
qué estación del año era.

De la Cuesta y yo
nos unimos a la insigne comitiva
—que con el fin de perturbar el sueño
de los muertos había organizado
el recién elegido ayuntamiento—
en torno al nicho humilde
del poeta.

Y una vez finalizados
la marcha fúnebre, el discurso,
las ridículas pompas del alcalde,
y dispersada la escasa muchedumbre,
fue al trompa de la orquesta al que escuchamos
pronunciar la frase:

«Si le hubieran dado más pan y más aceite,
otro gallo cantaría.»

EN BLANCO Y NEGRO

Me despierto y hay un vaso medio lleno
de *bourbon* encima de la mesa, unas cerillas,
un paquete de Winston en el que alguien
ha garabateado su número de teléfono; son las siete
y cinco minutos de la mañana, James Mason me contempla
en blanco y negro desde el televisor, y vocaliza
palabras que no logro entender ni oír siquiera.

Y después de levantarme y acercarme
al baño, y echar el asco y las entrañas
por las cañerías, y tirar de la cadena, se me ocurre
que es agradable estar vivo y hacer la guerra
y el amor y este poema, y que el mundo
bien merece
otra mirada.

(Días perdidos en los transportes públicos, 1992)

OTRA VEZ EL TIEMPO

Un pájaro, un pájaro pequeño,
de color pardusco, se ha posado
en el cable telefónico. Más allá
de los tejados, el cielo está cubierto.
Húmedo, plomizo, con ganas de llover
pero indeciso. Eso es todo
lo que sabe del mundo,
desde la cama, esta mañana.
Más lo que le cuenta del suyo

263

el autor de la novela
que distrae entre las manos: *La escapada.*
Dice en la portada que de ella
hizo Sam Peckinpah una película.
No la recuerda. Pero lo intenta,
y se le viene a la memoria una secuencia:
gente descuartizada a tiros, sangre
y pólvora en el polvo. *Grupo salvaje.*
Una de las grandes.
Ésa, y *La cruz de hierro.*
Es entonces
cuando se abre la puerta y entra ella.
«Oye, ¿sabías —le pregunta, recordando
las noticias tras un instante
de silencio— que en la capa de ozono
se está formando al parecer otro boquete?»
«Vaya, no me digas —con una benévola
sonrisa—. Qué apocalíptico estás
esta mañana...»
¿Apocalíptico?
La palabra se le antoja un poco fuerte,
así de pronto y en ayunas.
Vuelve la mirada al libro, a la ventana:
se maravilla una vez más
del errático, entrecortado curso
que suelen seguir los pensamientos.
El pájaro
emprende nuevamente el vuelo.
La lluvia escupe en los cristales.
Y ya jamás
volverá a ser el mundo como era.

LA MÚSICA

Los trinos de ese mirlo
se derraman
sobre el fiambre más reciente

de la ciudad.
Dicen
que encontraron la jeringa
colgándole del brazo todavía.
No lo sé.
Y no me importa
demasiado.
Escucho al mirlo.
Su música
en medio del infierno.

NADA QUE HACER

Hay personas
que opinan
que el poema se parece
a un chiste.
Otros, sin embargo, consideran
que es más que nada un acto
de inteligencia.
Yo lo que creo
es que en la mayoría
de las ocasiones
se asemeja mucho
a la vida.
Ya lo veis.
Un chiste tonto.
O peor:
de mal gusto.

(Hablando de pintura con un ciego, 1993)

ESTA INFINITA Y PATÉTICA BELLEZA

El comienzo del verano y la noche
yace como un cuerpo herido
que la aurora no consigue desvelar.
Recorro la ciudad
taconeando
en las aceras agrietadas
con mis viejas botas
de Valverde,
tan cansadas como yo
del incesante embate
de cascos rotos y batallas.
Un contenedor
arde solitario en una esquina
ante los ojos embotados
de un borracho
que ya no sabe que lo está.
No hay policía.
Y es extraño.
Dos mecánicos amantes
se palpan las partes
con gestos agotados
que ni siquiera el último
tiro de nieve emponzoñada
es capaz de revivir.
Parpadean los semáforos
tintineando en huérfana advertencia.
Y no hay sencillamente estrellas
que me valgan.

(Arde Babilonia, 1994)

ALGO MÁS ÉPICO SIN DUDA

Las 00.30 y heme aquí
fumando hasta matarme
delante de una pantalla negra
con manchas de verde
embadurnándola.

Ahí fuera, en alguna
parte, en todas,
ensayos de cadáver
se arrastran hacia la mañana
en la estela de otra
noche vacía.

Me pregunto
qué hubiera dicho
Homero.

METAFÍSICO ESTÁIS[26]

El tipo dijo
con palabras elogiosas
que en el fondo
le agradezco:

---

[26] El título del poema crea la atmósfera apropiada recordando el soneto de
Cervantes «Diálogo entre Babieca y Rocinante», del Prólogo al *Quijote:*

B. ¿Como estáis, Rocinante, tan delgado?
R. Porque nunca se come, y se trabaja.
B. Pues ¿qué es de la cebada y de la paja?
R. No me deja mi amo ni un bocado [...]

B. ¿Es necedad amar? R. No es gran prudencia.
B. Metafísico estáis. R. Es que no como.

«... he aquí el milagro
de una lírica
que se construye
en el vacío...»;
y miré los muros
de esta casa
que no es mía
y no hallé cosa
en que poner los ojos
que me ayudara
a pagar el alquiler.

Y tuve que darle
la razón.

(Mensajes en botellas rotas, 1996)

El diálogo con la tradición literaria, tan del gusto postmoderno, se continúa certeramente al evocar después el soneto de Quevedo, en su *Heráclito cristiano*, «Miré los muros de la patria mía» en su sentido general y en el verso «y no hallé cosa en que poner los ojos» para sorprender al lector con un sentido nuevo y desconcertante.

Leopoldo Alas

(Arnedo, Logroño, 1962)

Autor de relatos breves y novelista, colaborador de periódicos y revistas, fomentó la controversia en torno a la poesía de los ochenta y primeros noventa con su ensayo «El gran momento de la versiprosa» *(Claves de razón práctica,* Madrid, 37, noviembre de 1993), donde toma partido contra el neosurrealismo, la nueva épica o los principios decisivos de la nueva sentimentalidad o de la poesía de la experiencia («el retorno del yo, los universos cotidianos, la anécdota, el marco de la ciudad») incurriendo en una presentación poco ecuánime de estos movimientos, para acabar proclamando «los despliegues de imaginación de la gran poesía».

Como poeta se da a conocer con *Los palcos* (1988), un libro tentativo y de orientación, donde al igual que los *novísimos* rechaza la poesía social, pero con un gesto original, desencantado y pasota confiesa que escribirá «poesía en la guerra» de los otros («En los palcos»). A veces vuelve a ciertos tópicos del momento como el de la salida nocturna, aunque presentada con algunos toques originales («Mal de aurora»).

Como observa L. A. de Villena, en *La condición y el tiempo* (1992) el poeta se aproxima a los gustos de su generación: «Poesía de experiencia y meditación, el lado lúdico ha desaparecido bajo el manto de la reflexión, o mejor del daño. La poesía última de Alas, más clásica, más reposada y honda, es —formalmente— una de las menos cercanas del grupo al ideal (no seguido por todos) de los metros clásicos» *(Fin de Siglo,* pág. 28). Domina en este libro cierto desencanto y falta de ilusión, como cuando discurre sobre la farsa del amor («La alegría de pecar»), la fugacidad de la vida y la juventud («Desde el ocaso») o el desánimo que le lleva a buscar el calor de la amistad («Salva nocturna»).

Un tono más positivo ante la existencia adopta su libro *La posesión del miedo* (1996), en el que describe con sensual morosidad el disfrute de la pasión («Razón de amor»), o la fe en un amor «clarividente» («Pasión de afecto»). La poesía de este libro logra un cierto equilibrio mezclado con una marcada sensualidad en lenguaje simple y frase casi coloquial. El poeta va madurando y ganando en lucidez con los años.

A Leopoldo Alas se le ha atribuido «la utilización personalizada de la *tradición clásica*, amalgamada con *la sensibilidad del rock*» (L. A. de Villena, *Postnovísimos*, pág. 28), refiriéndose el crítico a una escritura y clima juvenil vinculados al ambiente cultural y visión del mundo del rock, a pesar de sus simpatías por los estilos clásicos.

OBRA POÉTICA:

Los palcos, Zaragoza, Olifante, Ediciones de Poesía, 1988.
La condición y el tiempo, Madrid, Signos, 1992.
La posesión del miedo, Valencia, Pre-Textos, 1996.

EN LOS PALCOS

A Fernando del Moral

Estaremos siempre, lo sabes,
en los palcos
de todas las revoluciones,
levantando las pupilas por encima
de la montura
de unas gafas.
¡Y siga la guillotina
abriendo brechas en los cuellos
blancos de los que toman partido!
Estaremos siempre en los palcos,
con guantes largos, mirada extraviada,
estaremos comentando las hazañas
de los héroes,
señalando con el dedo
las batallas,
haciendo poesía en la guerra,
en su guerra...
Y susurrantes.

MAL DE AURORA

El taxi frena al ritmo de tu brazo.
Son de fuego las ruedas. Y el costado,
dañado en rojo,

está sucio y es blanco.
Toda la noche se agota a tus espaldas:
hangares de bastardos, aromas vagabundos,
palabras que hacen sombra al pensamiento.
Tú en el asiento tuerces la cabeza
contra el cristal, contra la calle,
y en tus dedos se rinde una caricia.
Habitan tu memoria y tu sonrisa
los semáforos negros.
Quiera el tiempo que no se repita este cansancio,
la desazón de una noche tan larga,
la retirada absurda.
Quiera la luz acercarse a nosotros
y abandonar las mañanas,
para no perdernos solos,
tan oscuros, tan tercos.
¡Si pudiera este taxi devolverme
a jardines con grillos!
Volver a los olores infinitos,
a los senderos secretos de la hierba.
¡Y en cambio, qué gris se respira
volviendo del infierno!

(Los palcos, 1988)

DESDE EL OCASO

Dirán que nuestras vidas, al mirarnos
con la distancia fría que los tiempos
ponen entre los vivos y los muertos,
fueron amores tristes, dichos vanos,

veladas compartidas hasta el alba;
que nunca contrajimos compromisos,
que todo lo que hicimos fue baldío,
desérticos furores en las brasas.

Yo dejo humildemente un testimonio
por si alguien de otro siglo se interesa
y al ver nuestros retazos se enternece;

supimos que acechaba ya la muerte,
quisimos ser felices en la espera,
brillamos, pero el sol se puso pronto.

SALVA NOCTURNA

No puedes creerme. Porque me ves
rodeado siempre de tantas personas,
hablando por teléfono, tramando
frenéticas conjuras para animar la noche,
no podrás comprenderme si te digo
que estoy a punto de morirme y solo;
que lo he dejado todo en el camino,
mi humor, mi confianza en el futuro,
las ganas de jugar que me animaban
a flotar sin más y a perder la vida.

Ahora, de repente, al ver que todo
transcurre sin dejar huella ninguna,
valoro los detalles, me conmuevo
por cosas que antes nunca me importaban.
Y ya no paso de largo ni me río,
ni tiemblo por amor, ni me desvelo,
ni espero demasiado de los días
que queman como el fuego.
A veces, antes de dormirme pienso:
me gustan los amigos, los rincones,
la pólvora sin ruido y por las noches
matar la soledad con un secreto.

LA ALEGRÍA DE PECAR

La farsa del amor qué poco dura.
Un destello y el gusto de la vida en la boca,
como un veneno bueno que mata lentamente
en sucesivas citas.

Te miraba dormir. Te pedí que durmiéramos
y en ti escruté, en tu rostro y en tus labios,
la estela de pasión
de farsas anteriores ya perdidas.
Insomne y asustado, recordé abrazos cálidos,
maneras de entregarse más ligeras
y cuerpos más desnudos.
Evoqué besos húmedos, furtivos,
caricias inconscientes en rincones,
posturas impensables.

En días ya lejanos, pecar no era pecado
y en el amor no había ningún riesgo
salvo saber que es falso.
Anoche, en las tinieblas, el miedo me contuvo:
caricias desterradas del deseo,
los besos comedidos.
Una forma muy triste de amarnos para siempre.

La farsa del amor era un veneno
que hoy mata sin piedad a quien lo bebe.

DE VINO Y ROSAS

Yo he sido una promesa y he brillado.
Estuve en pie de guerra en las cantinas
brindando con amigos por proyectos
estelares que nunca se cumplieron.

Me ves aquí riéndome por todo;
y en ésta, elemental y mortecino.

Después de todo, hasta lo encuentro tierno.
¡Yo qué iba a prometer! ¡Y me creyeron!

(La condición y el tiempo, 1992)

RAZÓN DE AMOR

No es sólo la pasión de los abrazos,
la saliva, el aroma, el vértigo, los besos
o el plácido desvelo de tu ausencia.

Mi amor es la fábula y la trama,
el relato interior que sigue a cada encuentro,
la glosa que acompaña los adioses,
el minucioso examen de tus frases
y el eco que tu voz le pone a mi silencio.

Mi amor es ser feliz y no engañarme
anticipando el daño del negro desengaño,
cuando el sexo se esfume en el recuerdo
remoto y resentido de un orgasmo.
Es consentir la calma en las mareas
y atesorar las horas y los días
de la fiesta de luz que celebramos,
del banquete voraz de los sentidos.

Y abolir la frontera de los cuerpos,
detenernos, subiendo la escalera,
a besarnos en todos los peldaños.

UN CANTO Y UNOS VERSOS

Nos han visto postrados al rumor de unos rezos
que aprendimos de niños, cuando todo era bueno.
Después de haber crecido como la mala hierba,
pletóricos de ausencia y en pantanosas tierras;
de haber dudado tanto, de habernos confiado,
por pálidos reflejos, a credos nada claros...

Teoremas formulamos y frases aprendimos
y en nubes de ilusión buscamos raciocinio.
Capítulos trazamos de complicada historia
que ahora, sin nosotros, se desenvuelve sola.
Y estamos al amparo de débiles recuerdos:
la señal de la cruz, un canto y unos versos.

PASIÓN DE AFECTO

En el amor fatal no brilla el pensamiento.
La mente se coagula cuando la sangre estalla.
Vuelve sombrío el ingenio y sin gracia
la fatuidad fanática del fuego.
Yo creo en un amor clarividente,
una efusión borracha de prudencia,
el fruto que se alcanza, las fuentes del desierto.

El riesgo y la pasión están en el afecto,
en un miedo común al abrazarse.
Dormidos, compartir el mismo sueño.
Despiertos, afilar las diferencias.
Amor que no se abisma ni se engaña,
amor que se resuelve en transparencia.

(La posesión del miedo, 1996)

Aurora Luque
(Almería, 1962)

Licenciada en Filología Clásica, traductora de poetisas de la Grecia Antigua, profesora y poeta con varios prestigiosos premios (accésit del «Adonais» en 1989, «Rey Juan Carlos» en 1992 y Premio Andalucía de la Crítica en 1998), destaca por una poesía lúcida, ligada al brillo de la modernidad y de cierto tono intelectual. Sus versos recrean situaciones y fenómenos de actualidad con una visión y lenguaje postmodernos: la vida como el rodar de una película con «problemas de doblaje», la invasión de las imágenes publicitarias, la visión tal vez irónica de las modas poéticas del momento («Terraza»), el carácter efímero de lo humano y el tópico clásico del «carpe diem» expresado en términos de modernas prácticas mercantiles, el impacto de las experiencias vividas («Acuarela»). Como formula en sus propios versos, la poeta se esfuerza por transmitir en su lírica los «mensajes oscuros» y la «desarmonía» de su mundo de fin de siglo, pero su discurso va ligado con frecuencia al eco de viejos mitos, a los que presta nueva vida: «Aurora Luque integra los mitos clásicos y los *topoi* en un discurso muy característico de la sensibilidad postmoderna, que se plantea los desajustes entre realidad y lenguaje» (A. Jiménez Millán, «Un engaño menor», pág. 46).

Para Aurora Luque, la poesía es artificio, construcción con el instrumento de la palabra, «la única moneda del misterio», y elaboración consciente de lo que es el poema, como se echa de ver en sus composiciones metapoéticas sobre la creación, las vivencias, la palabra y el silencio («Del descifrar») o sobre la percepción sensorial desencadenada por un producto moderno que fecunda la fantasía con el bello recuerdo de un viejo mito («Gel»). Pero es la experiencia personal, viva e intensa, la que vibra y tiembla bajo el fluir del verso, despertando las palabras que «queman» y que «saben a labios o a odisea» para hacer brotar el poema («Poética»). En precisas y sutiles alusiones, la poeta almeriense logra dar nuevo sentido a los mitos clásicos, que se vuelven vehículo de singulares experiencias de la vida cotidiana. Su culturalismo es parco, refinado e interno.

OBRA POÉTICA:

Hiperiónida, Granada, Universidad, Colección Zumaya, 1982.
Problemas de doblaje, Madrid, Rialp (Col. Adonais), 1989.
Fecha de caducidad, Málaga, Colección Tediria, 1991.
Carpe noctem, Madrid, Visor, 1994.
La isla de Mácar, Barcelona, Bauma, 1994.
La metamorfosis incesante, Málaga, Ateneo, 1994.
Carpe mare, Málaga, Miguel Gómez Ediciones, 1996.
Transitoria, Sevilla, Renacimiento, 1998.

PROBLEMAS DE DOBLAJE

En la toma perfecta, cuando el guión es bueno
y los actores fingen dignamente ser héroes,
el tiempo marca estrías, va apagando
uno a uno los focos y la banda
sonora se interrumpe.
Sensación de pantalla desgarrada
la insuficiencia siempre de vivir.
Qué frágil la película
que intentamos rodar en esas horas
para sesión privada y clandestina
en la pantalla interna de los párpados.
Un insípido tono pudoroso
de noche americana
en las irisaciones del deseo,
ni siquiera el siena matizado
del pasado indoloro nos acude.
Sueño de gabardinas
por calles satinadas de humedad,
labios muy densos, casi
negros desde la sala. Juventud,
cinta de celuloide erosionado,
un guión mediocre,
problemas de doblaje.

TERRAZA

Gentlemen,
seguimos nuestra excursión
a muchas brazas bajo el nivel del Egeo.

Yorgos Seferis

—De acuerdo: ya no existen visionarios,
el exceso de amor no está de moda
—tampoco el adjetivo de color—
y es ridículo hablar de las sirenas;
el poeta se ausenta del poema; entretanto,
toma café o el sol con los amigos,
baja un taxi hasta el mar y la metáfora
se denuda delgada entre las olas.
—¿Prefieres la piscina? El poema no sufre
descarnado de ti; toma un vaso y ginebra,
sumerge tu inocencia, paladea
la tarde sin noticia,
sin mito, sin pasado, en la indolente
hamaca del silencio. De regreso,
tu poema te aguarda suicidado.

DEL DESCIFRAR

I

FLUIR EN LA CORRIENTE SAGRADA DE LOS VERSOS
de una noche a otra noche
y ser atropellada, ser mordida
por la negra belleza que estalla en las palabras.
Y qué saturación sentir el aire
de otros mundos, la hoja que temblaba
en la lluvia con sol, los astros asomados

280

a la leve escritura,
un aroma olvidado de la infancia
o un placer sumergido
en las aguas más hondas de la vida:

carne que se entreviese
—erótico fulgor rosado y denso—
bajo el encaje oscuro del poema.

II

> *Engendradora de musicalidad y de*
> *abismos de silencio, la palabra que*
> *no es concepto porque es ella la*
> *que hace concebir.*
>
> MARÍA ZAMBRANO

APENAS FLORECIDO, CADA ÁRBOL
perfume diferente difunde en el espacio.
Igual a las palabras les ocurre
bajo el tacto tranquilo de aquel que las venera.
    Las palabras, la única moneda
del misterio.

III

> *... e sovrumani silenzi...*
>
> GIACOMO LEOPARDI

JUNTO A LA LLUVIA,
esa otra lluvia, tenue, de silencio
que acompasa a los seres
—los seres asombrosos de la infancia
que crecen con la tierra, y luego son
casas de aromas tiernos o verdes poemarios.
Y tan próxima a ellos
como a mí misma, dejo
que el silencio y el agua me nutran fuertemente.

DE LA EFICACIA DE LA LITERATURA[27]

A Santiago Biralbo

Si de algún modo muero,
brinda con Cuatro Rosas por mi olvido:
sólo quiero asociarme
a un fragmento de aquel verano breve.

De aquel verano
en que estuvo de moda beber *kiwi*,
las terrazas nocturnas junto al Darro
y quererse en Lisboa.

(Problemas de doblaje, 1989)

GEL[28]

Preparo la toalla. Me descalzo. Esa esponja
porosa y amarilla que compré en un mercado
obsceno de turistas en la isla de Hydra
qué dócil bajo el agua cotidiana
tantos meses después, en el exilio.
De pronto el gel recuerda —su claridad lechosa,
su consistencia exacta— el esperma del mito,

---

[27] El poema está dedicado a Santiago Biralbo, protagonista de la novela *El invierno en Lisboa* de Antonio Muñoz Molina, «bestseller» aparecido en mayo de 1997, que conlleva la alusión a una lectura asociada con experiencias memorables.

[28] Alude al hermoso mito del nacimiento de Afrodita o Venus de las espumas del mar, inmortalizado por Botticelli en un célebre cuadro. Según la versión de Hesíodo, Cronos, después de mutilar a su padre Urano con su guadaña, lanzó al mar los despojos de su virilidad, que fecundaron las aguas, de cuyas blancas espumas con el tiempo nació la bellísima diosa. Recostada sobre el nácar de una concha marina, no tardó en llegar a la costa de Chipre.

el cuerpo primitivo y trastornado de Urano,
un susurro de olas mar adentro
y una diosa que aparta
los restos de otra espuma de sus hombros.
Me punza una emoción tan anacrónica,
un penoso latir, hondo y absurdo,
por ese mar. Por ese sólo mar. Busco una dosis
de mares sucedáneos.
Cómo podría desintoxicarme.
Dependo de por vida
de una droga. De Grecia.

CIUDAD

Una ciudad del sur con su mitología
urbana vagamente, subrayada de mar,
desgarrada de instintos,
con toda la belleza luchando por asirse
con dignidad a un resto de materia.
Tanta, tanta es la luz sin asidero...

POÉTICA

Un equipaje sobrio
—una escueta sintaxis despojada
y dos pronombres falsos—
para un fin de milenio. Inservible el amor:
ése es el tema. —¿Acaso no me oyes?
¿No basta imaginar que oyes cómo escribo
para que me parezcan
rentables el hastío y la escritura?
—Desherédame, lengua. No te sirvo.
No acudo a las palabras limpiamente.
Sólo acaricio aquellas que me queman
y que saben a labios o a odisea.

Sólo quiero adular a la familia
de las palabras muertas del amor.
Será inútil seguir. Queda sólo un pronombre.

(Carpe noctem, 1994)

ACUARELA[29]

Hay viajes que se suman al antiguo color de las pupilas.
Después de ver la isla de Calipso, ¿es que acaso Odiseo
volvió a mirar igual? ¿No se fijó un color
como un extraño cúmulo de algas
en sus pupilas viejas? Lo mismo que en los pliegues
mínimos de la piel
se fosilizan besos y desdenes, así los ojos filtran
esa franja turquesa del mar que acuna islas,
medusas de amatista, blancura de navíos.
La piel es vertedero de memoria
lo mismo que el poema. Pero acaso unos ojos
extrañamente verdes de repente dibujen
empapados de luz
un boscoso archipiélago perdido.

(La isla de Mácar, 1994)

---

[29] Este mismo poema aparece posteriormente en *Transitoria* con el título
«La mirada de Ulises». La leyenda de Ulises es uno de los temas preferidos por
los poetas recientes, que convierten los viejos mitos en profundas experiencias
sensoriales (como las de Odiseo en la isla Ogigia de la ninfa Calipso) que pro-
tagonizan intensos poemas. El poema pone de relieve el impacto que tienen
sensaciones y experiencias en nuestro modo de contemplar la realidad.

TALLER DE SEDERÍA

Es un espléndido manantial de magnífica seda [...]
Salvo la seda, no hay otro comercio en esta ciudad,
por lo cual los forasteros no permanecen en ella y
sólo la habitan sus propios vecinos.

IBN AL-JATIB

SEDA DEL PÁRPADO, SEDA DE LA INGLE,
seda roja del cielo de la boca,
seda blanca, escondida, de la nuca,
la pieza con pequeños lunares de la espalda,
crisálida de seda del ombligo,
el ovillo del pubis, la seda que se adentra,
el encaje de seda de la axila,
la organza de los labios,
la piel como sedante,
las palabras sedosas
el sedal sin anzuelo de los brazos,
piel de fibra tensada —tarea de hilandera
del gusano inquilino, el tejedor del gremio
de los sastres futuros que destejen
la vieja seda rota y desvaída,
del trapero que rasga y que descose
los últimos recortes, los retales,
la mortaja de seda apolillada.

DE LOS PAPIROS MÁGICOS

*Haz que esté aterrorizada, que vea
fantasmas, insomne por la lujuria
y el afecto hacia mí.*

PAPYRI MAGICAE GRAECAE VII, 888-889

—Vengo del mar. Las olas, serviciales,
se han llevado su nombre y sus cabellos
en la lámina blanca de estaño que grabé
con un clavo de barca roída en un naufragio.
Los dioses son leales: han oído mi súplica.
Él, con la gracia fresca de los gestos
primeros del amor, ha cortado su rizo tan oscuro
como primicia amante y generosa
y yo le he sonreído al recogerlo.
No sabe qué venganza negocié con la diosa
si aquieta su deseo, si abandona mis brazos:
que la Muerte le clave poco a poco
en la espalda sus uñas purulentas,
que el Espanto le abra los ojos en la noche,
su corazón se ahogue perforado de espinas,
su pecho se agusane de terror y miseria
y se corrompa el jugo tan dulce de su boca.
Y que nunca el Deseo vuelva a hablar por sus ojos
como me ha hablado a mí y a mi pobre locura.

EPITAFIO

Si de algún modo muero,
en las crudas heladas del olvido
o de muerte oficial,
reléeme esta nota, por favor,
y quémala conmigo.

La vida no iba en serio ni siquiera más tarde.
Y no se tarda mucho en comprender
que se trataba sólo de unos juegos
para *aparcar* la muerte.
Ni siquiera fue un río
pues me tocaron tiempos muy duros de sequía
aunque el mar esperaba, siempre radiante, al fondo.

He creído en los mitos y he creído en el mar.
Me gustaron la Garbo y los rosales de Pestum,
amé a Gregory Peck todo un verano
y preferí Estrabón a Marco Aurelio.

(Transitoria, 1998)

Jorge Riechmann
(Madrid, 1962)

Estudió ciencias matemáticas en la Universidad Complutense de Madrid, donde ha vivido la mayor parte de su vida, pero hizo también estudios de filosofía y literatura, y se doctoró en ciencias políticas en Barcelona. Ha realizado traducciones de poesía y obras dramáticas del francés y del alemán, y ha publicado abundantes ensayos de tema político y sociológico mostrando un profundo conocimiento de los problemas ecológicos.

Su obra poética ha recibido varios premios importantes y se destaca por un «vitalismo expresivo» abierto a todo tipo de realidades y experiencias, pero siempre con una fuerte preocupación ética. «La mirada no es estática, se mueve en su capacidad para captar y reproducir, en la trama del lenguaje, la dinámica transformadora de la experiencia, porque mirada no es sólo pensamiento, es también amor, moral, ética, colectividad» (Antonio Ortega, *La prueba del nueve*, pág. 27).

Cuaderno de Berlín (1989), inspirado por la singularísima experiencia de su estancia en Berlín antes de la caída del muro, es un esfuerzo «por intentar la aventura de la lucidez». Contiene poemas de corte surrealista y verso libre en una especie de expresionismo lírico que refleja la brutal intensidad de una experiencia perturbadora, mezcla de angustia y desesperación, donde recurre, a veces, a desmesuradas metáforas. En la parte VII introduce el tema amoroso, del que ofrecemos el poema «Incredulidad». La veta dramática e hiriente se continúa en *Material móvil*, donde ofrece una severa visión crítica de la sociedad y de los horrores de la guerra postmoderna («Poemas paradisíacos»). La postura antiesteticista y el compromiso ideológico y crítico se encarnan en un léxico que recurre a metáforas extremas y que no rehúye el feísmo.

Amarte sin regreso es un libro de poesía amorosa. Como muestra el poema «Tanto abril en octubre», se trata de verdadera poesía de la experiencia, ya que combina reflexiones sobre los incidentes diarios (pensamientos y emociones) y sobre el fluir del tiempo en la conciencia lírica. Esta poesía amorosa es sensual, pero también abstracta y conceptual, reflexiva y filosófica.

En *El día que dejé de leer EL PAÍS* (1997), el poeta recurre a la rabia, el grito y la protesta, mientras que los dos poemas últimos de esta selección, procedentes de *La estación vacía* (2000), muestran de nuevo la veta cívica de crítica y denuncia que se extiende a lo largo de su obra en un tono de ácida ironía y descarnado sarcasmo.

OBRA POÉTICA:

Cántico de la erosión, Madrid, Hiperión, 1987.
Cuaderno de Berlín, Madrid, Hiperión, 1989.
Material móvil, precedido de *Veintisiete maneras de responder a un golpe,* Madrid, Ediciones Libertarias, 1993.
El corte bajo la piel, Madrid, Bitácora, 1994.
Baila con un extranjero, Madrid, Hiperión, 1994.
Amarte sin regreso (poesía amorosa 1981-1994), Madrid, Hiperión, 1995.
El día que dejé de leer EL PAÍS, Madrid, Hiperión, 1997.
Muro con inscripciones, Barcelona, DVD, 2000.
Trabajo temporal, Béjar, Cf ediciones, 2000.
La estación vacía, Alzira, Germanía, 2000.
Desandar lo andado, Madrid, Hiperión, 2001.

INCREDULIDAD

No eres
posible,
no es posible
que todo el calor del mundo
haya cobrado la forma de tu cuerpo
tendido e irradiante junto al mío,
no es posible tu cuello
girando sobre la almohada lentamente
como fanal de dicha,
tanta fructificación no es
posible, tan alta primavera
desbordando tus pechos y tus manos
hasta inundar todas las alcobas de mi vida,
no es posible el latido de tu sueño
cuando convoca
paisajes como caricias, dédalos susurrados
de fraternidad y auxilio y maravilla,
no es posible la paz de tu vientre rubio
si te busco debajo de las sábanas.
Desnuda no eres posible. Junto a mí, no es posible.
Eres lo más real y no es posible.

(Cuaderno de Berlín, 1989)

POEMAS PARADISÍACOS

1

La vida
rosario de instantes líricos.
La sociedad
una congregación de maniquíes.
La economía el baile
de los vampiros.
El sueño circular recorrido sabroso
por las estaciones de la tortura.
La realidad un montón de escombros
radiantes en las pantallas de teuve.

Comprovendo prontuarios para estetas
(máxima discreción garantizada).

2

(Madrid, agosto de 1987)

Toneladas de carne bien bronceada
envuelta en algodón de tonos suaves.

Me asquean los simulacros de inocencia.

3

Una escuadrilla de ángeles[30]
atravesó anoche la barrera del sonido
muy cerca de mi casa

---

[30] El poeta desarrolla un poema antimilitarista recurriendo a un tipo de metáfora, de la cual ya Rafael Alberti ofrecía en *Sobre los ángeles* una forma suge-

Ángeles
su presencia se torna
más ominosa cada día

ángeles de reconocimiento
ángeles espía
ángeles nodriza
ángeles bombarderos
escuadrones de ángeles paraísos volantes
seráfico cáncer que revienta miriápodo
bajo la piel de la noche
y vuelven a sus bases

El general John Galvin declaró
que el acuerdo para la eliminación global
de los misiles de alcance intermedio
puede suponer un riesgo excesivo.

4

Me rodea y me acuna
con palpamientos cálidos
y sedas tan suavemente ceñidas a mis miembros.
Me inyecta
el divino licor que torna blanca la sangre
con quelíceros de cariño hundidos en mi cuello.
Deliquio ardiente de mis entrañas que se funden
en un líquido extático
golosamente sorbido por el sueño.

Se trata del sueño
más seductor y amable

---

rente, haciendo uso profano de un motivo religioso (ángeles = aviones). La
alusión a la potencia militar norteamericana (recordemos que Riechmann fue
un convencido luchador contra la OTAN, como él mismo confiesa) se hace
en la cita del general John Galvin, alto mando militar de Estados Unidos.

de cuantos hoy surcan nuestras brillantes ciudades multimedia.
No seré yo quien se atreva
a romper el consenso
o turbar con un *no* la paz del paraíso.

5

Escribir era
conjurar
la fuerza que ensarta hombres bestias y astros
en el collar tenso del cosmos.

Escribir era
orar
al ser todopoderoso amante y terrible
a cuyo ojo ciclópeo resulta imposible sustraerse.

Escribir era
seducir
con desparpajo goliárdico a una tabernera
con galana orfebrería a una cortesana
con pánico exultante a una diosa vengadora.

Escribir es
producir mercancías.

Vanidad de seguir encapsulando
humanismo liofilizado en endecasílabos
mientras en derredor los guapos muertos vivientes
menean epilépticos
el penúltimo cubalibre de cesio y de cicuta.
Y es que yo soy, amigo,
de la generación del paraíso.

(Material móvil, 1993)

EN LA ESTACIÓN DE FRANCIA

Ella me dice que un tal Descartes dijo
«Pienso luego soy»
y luego Lacan le enmendó la plana diciendo
«pienso luego no soy»
yuxtapuestamente, servilletamente,
ferroviariamente.

Y yo pienso que dije, digo,
que diré
precisamente en el próximo verso
que la vida me fue muy generosa
porque la tengo a ella

¡e incluso tengo algunos enemigos!

(El corte bajo la piel, 1994)

TANTO ABRIL EN OCTUBRE[31]

*Cuando a la casa del lenguaje se
le vuela el tejado y las palabras no
guarecen, yo hablo.*

ALEJANDRA PIZARNIK

1

Tanto dolor escrito en este cuerpo.
Tanta luz anegada en estos ojos claros.
La rosa es sin porqué
             —ya lo sabías.
El dolor nunca tiene para qué.

2

En el hospital el tiempo es otro tiempo.
Sigue pautas distintas:
leche caliente a las cuatro y a las once,
desayuno a las nueve,
tantos medicamentos en vasitos de plástico,
tomar la tensión por la mañana y por la noche,
visita de los médicos a las diez más o menos,
la comida a la una, tan temprano...
Lo que desaparece es la impaciencia.
La habitación es un vagón de ferrocarril
y el tren no va a llegar a su destino
antes de tres semanas.

---

[31] El poema tiene su origen en una estancia en el hospital de su esposa, en-
ferma de cáncer, que tras mucho dolor se resuelve con un «autotrasplante de
médula ósea» que restableció a la paciente. Es notable la capacidad del poeta
para cargar de intensa emoción los hechos, objetos, gestos o detalles más triviales. Aquí se reproduce sólo un fragmento del poema.

Una visita ha observado
que el Madrid que se ve desde este piso décimo
es un óleo de Antonio López.

3

Después de la mitoxantrona
orinas azul.
Cerca agoniza un muchacho
a quien han serrado la pierna en la cadera:
cercenada pesaba treinta y cinco kilos,
más peso que el resto de su cuerpo ahora.
Un mesmerizador lo hipnotiza
para que no quiera morir
aunque se muere.
Tú orinas un azul
contiguo a esa agonía.

4

Estas enfermedades se llevan muchas cosas.
Lo que queda
me atrevo a llamarlo esencial.
Por ejemplo: estás viva. Te amo [...]

(Amarte sin regreso, 1995)

TERRIBLE OLA DE FRÍO

para Félix Grande y Paca Aguirre

Se aproxima terrible ola de frío
masas de viento gélido que soplan desde el Norte
deprimirán los termómetros de diez a doce grados
en zonas de alta montaña
se alcanzarán los veinte bajo cero

muchas ciudades pueden quedar aisladas
se hace acopio de sal y combustible
y comida y una mecha de afecto
permanezcan atentos a los partes
oficiales de los meteorólogos
se aproxima terrible ola de frío

llega el día previsto
pasa el día
pasa el día siguiente y el siguiente
el aire sigue tibio y resonante
la luz es dulce como una caricia

así
la poesía
en la vida terrible inverosímil

la palabra por dentro de la sangre
lo real por detrás de lo real

EL GUARDIÁN DE LO PEQUEÑO

> *Franz Kafka aseguraba que hay esperan-*
> *za, mucha, una infinita esperanza: sólo*
> *que no para nosotros. Walter Benjamin*
> *afirmaba que sólo nos es dada la esperan-*
> *za por los privados de cualquier esperanza.*
> *¿Y usted qué opina?*

A todos los que queréis estrechar la vida,
recortar la vida, cercenarle los arcos a la vida,
arriar las velas rojas del galeón fantasma,
sacar del agua a los caballos: os digo que seréis derrotados.

No por la fuerza senescente de los escarnecidos,
no por el septentrión ingenuo de los adoradores,
ni por los masacrados molinos de la generosidad.
Sino por los malentendidos que creeréis haber desentrañado,

298

las paradojas que torcerán las herramientas de la maldad,
las minucias que dejaréis a vuestra espalda
y resultarán ser —no sé por qué os sorprende—
las alamedas tan flexibles de la resistencia.

¿Esperanza
vestigial, residual? No sabéis
lo que es la esperanza.
Ésa fue siempre *toda* la esperanza.

¿Perdimos la cabeza? Conservamos la voz.
De un solo grano se yergue la voz toda.
Y una voz vale la ausencia de cabeza
si en alta mar peligran las columnas del mundo.

(La estación vacía, 2000)

José Antonio Mesa Toré
(Málaga, 1963)

En su segundo libro, *El amigo imaginario* (1991), aparece ya como un consumado poeta, cuya lírica, en torno a la memoria de viejas experiencias, trata de evocar el mundo misterioso, mágico y luminoso del pasado y a «ese otro yo, igual y distinto», el amigo que crean los recuerdos (de ahí el título del libro). A veces se percibe el tono satírico y el humor irrespetuoso ante la educación y los mitos de la España franquista vivida en la infancia («Lecciones de buen amor»). Pero domina la pintura de la relación amorosa con sus trampas y espejismos, o la vida nocturna, escéptica y sin rumbo («Bares de carretera»). El poeta exhibe un fino sentido del humor e impregna el verso de una exquisita ironía para lograr una brillante sátira sobre la postal recibida de una amiga en viaje turístico. La vivencia inmediata da frescura al poema («Ti voglio bene»). Su poesía logra envolver en una mueca irónica y desencantada —subrayada por la rima rica y el verso largo— los grandes tópicos de la bohemia, pero remozados con un tono nuevo, a veces quevedesco, y con abundantes toques de actualidad («Balance»).

La primavera nórdica (1998) pudiera sugerir, por las repetidas citas de Blas de Otero, una aproximación a la poesía social, lo que confirmaría el título «España a diario» de la primera parte del libro. De hecho, acumula, entre constantes alusiones a la lluvia («En las noches de lluvia yo me acuerdo») evocaciones de la vida cotidiana y doméstica, de los seres queridos de la infancia, amigos, meriendas de juventud, etc. En perfectos y sonoros endecasílabos, otras veces alejandrinos o heptasílabos, recuerda el pasado de los «duros años aquellos de posguerra», recurriendo al «sepia rural de las fotografías» para reavivar la memoria (pág. 20), mientras otras veces rememora los fantasmas o sueños de la niñez o del presente. En la segunda parte «Que trata de Suecia» recurre a recuerdos muy parecidos sin abandonar una actitud escéptica y desilusionada ante la vida y el amor («Primavera en Skåne»).

Con gran originalidad y refinado sentido irónico cultiva una poesía de la experiencia que trata de bucear en el pasado. Para J. A. Mesa Toré, «recordar es imaginar, fantasear, fabular, falsificar el papel del tiempo, flirtear con la vida» (J. L. García Martín, *La generación del 99,* pág. 125). Eso es lo que él hace en sus versos, que en tono íntimo y voz baja evocan ambientes familiares, nocturnos y urbanos, y reflexionan sobre la vida y sus desencantos.

OBRA POÉTICA:

En viento y en agua huidiza, Málaga, El Guadalhorce, 1985.
El amigo imaginario, Madrid, Visor, 1991.
La alegre militancia (Antología 1986-1996), Málaga, Miguel Gómez Ediciones, 1996.
La primavera nórdica, Valencia, Pre-Textos, 1998.

IMÁGENES DE POSGUERRA

Míralos en el tiempo, en el capricho
de ese fondo oriental de cartón piedra
que finge el señorío de la Alhambra.
Bajo velo y turbante se adivina
el hechizo reciente de su boda.
Ese retrato era para un niño
el cromo más querido, la sospecha
de que existía lejos de su sombra
un país luminoso como un sueño.
Ahora, recordando las imágenes,
no sabes si admirabas más la magia
de la escena o la bella juventud
que nunca contemplaste en esos rostros.

LECCIONES DE BUEN AMOR

Había en el colegio un crucifijo
que velaba y velaba por la unión
de un mapa polvoriento y de un pueblo elegido
para llevar la lumbre de la fe al corazón
de las bárbaras gentes que fueran sus vecinos.
Se llamaba mi escuela *El Buen Pastor*
y en verdad que debieron ser santos sus oficios
cuidando del rebaño, porque pronto ascendió
de mayoral extraño a mayoral divino.
Quienes no conocimos el horror

de la guerra, en sus aulas sin embargo tuvimos
un héroe apodado El Cid Campeador.
¡Dios, y qué buen vasallo, si hubiese buen Caudillo!
Mi madre y su rosario me hicieron del Señor
y recibí por mayo su sangre con el vino.
Mi padre, menos pío, temiendo lo peor
—era yo varón solo entre sus seis hijos—
quiso hacerme torero o cazador.

¡Ay, cuántos inocentes pajarillos
soportaron martirio en nombre del honor!
Pasaron esos años: ni santo ni ministro
de la grey; por no servir nunca sirvió
mi juventud al celo de la patria. Lo mío
—estaba claro— era declararse objetor
de conciencia, moderno eufemismo
de traidor.
Que vuestro Dios y España, así lo pido,
se apiaden de este pecador
cuya falta más grave fue dárselas de lírico
en un país que nada sabe de buen amor.

BALANCE

La vida agota. Juegos son primero
sus trampas y espejismo la cordura.
El alcohol, las mujeres, el casero
tarde o temprano pasan su factura.
Amor más poderoso que el dinero,
si no acabara siempre en amargura.
Amor que va de vuelo y dice *muero
por ti* mientras nos presta sepultura.
La vida cansa, cuenta la estadística.
El jefe, los amigos, los atascos
mandan al otro barrio corazones.
Pero antes que enrolarme en otra mística,
apuesto por la vida y no hago ascos
a su locura. Tengo mis razones.

BARES DE CARRETERA

El lento planear de los ventiladores
sigue la melodía, frecuencia modulada
de una voz que demora sobre los mostradores
del carmín displicente el fin de madrugada.
A estas horas, el timbre de los despertadores
debe estar alertando a la ciudad velada
de que se acerca el día. Un trajín de ascensores
y un trueque de palabras que nunca dicen nada
será toda la historia. Pero tú, en la trinchera
de los últimos bares, resistes el combate
del recuerdo y esperas que un cuerpo te rescate
de otro cuerpo. Sin rumbo, tomas la carretera
y un veloz tiralíneas que temblase es el coche
en el que vas huyendo de ti o de la noche.

TI VOGLIO BENE

Me envías una escueta postal de tu viaje
con unas cuantas faltas leves de ortografía
—aunque eso no importa, ya sabes mi manía
de perseguir tus líricas traiciones al lenguaje.
Hablas de la ciudad, del mediocre hospedaje
en pleno centro de Florencia y todavía
hacia el final te tiembla la azul caligrafía
cuando dices que sientes mi sombra entre el paisaje.
¿Quién puede comprenderte, mi lejana turista?
Hoy me mandas suspiros, promesas, algún beso,
y ayer mismo huías con un *hasta la vista*.
No temas: estaré aguardando el regreso
en el sitio fijado y a la hora prevista,
para ver como un tonto las fotos del suceso.

SÁBADO

Me cuentan que darás el sábado una fiesta.
Champán y cena fría tomará la vanguardia
urbana y exquisita, la que nunca se acuesta
antes de que la escarcha releve de su guardia
a la noche rumbosa. ¿Sospechas cuánto cuesta
creer que no me invites o que en la retaguardia
del pasado confines un placer que molesta?
No sé si son de amor o simple taquicardia
estos latidos bravos. Los surcos del vinilo
acaso recuperen antiguas melodías
que en horas como ésa nos llevaban al hilo
ardiente de las sábanas. Pero no serán mías
las manos de este baile —dos arañas en vilo—
y serán diferentes tus días y mis días.

LOS BESOS FRÍOS

Es cierto que nos une la rutina
de un patio de butacas de alquiler,
la trama oscura de un amor ficticio.
Esa costumbre de cambiar la niebla
y el neón fugitivo de los bares
por las primeras luces temblorosas
del día. Y dibujar sobre el silencio
el desencanto de los besos fríos
y no esperar del tiempo otro milagro
que el del olvido. Y aun así nos gusta
despedirnos de la belleza juntos,
ahora que ya es muy tarde para amarse
con frenesí y miradas de película.

(El amigo imaginario, 1991)

TEATRO[32]

Aquí Eloísa está bajo un grave silencio
de piedras orgullosas que la yerba enmascara.
Finge, juega, sonríe ajena a la tragedia
que el tiempo representa.

Donde nobles estatuas su majestad inclinan
y yacentes columnas lloran entre reptiles
yedras su vil destino, dispuesta ante la cámara
posa para el recuerdo y para los anales
de nuestra historia íntima, prestando su hermosura
al paraje asolado, a la belleza en ruinas.

Así quiero dejarla: reliquia en la memoria
sin nubes de tristeza; en el retrato antiguo,
joven y enamorada, reverenciable diosa.
Dejarla para siempre asida a mi cintura,
ahora que su amor, como cosa mundana,
es fábula y ceniza del vano tiempo oscuro.

---

[32] Poema en versos alejandrinos consagrado a la evocación de la joven Eloísa (1101-1164), por la que sintió una violenta pasión amorosa el filósofo y
teólogo francés Pedro Abelardo (1079-1142), quien tras el desenlace de sus fa-
mosos y malogrados amores se retiró a la abadía de Saint-Denis. Ella pronun-
ció sus votos e hizo vida monástica hasta su muerte. Ambos mantuvieron una
interesante correspondencia. El poeta la recuerda en un escenario de ruinas
medievales, «joven y enamorada», y exaltada por la fábula y la leyenda.

PENÚLTIMA LECTURA EN LÉRIDA

*... héroes descreídos moviéndose entre la
pasión y un leve hastío que, según parece, es rasgo generacional.*

ANTONIO JIMÉNEZ MILLÁN

Hemos cruzado el mapa de la noche.
Inútil que os revele la película
del paisaje: fantasmas que eran hombres
en breves estaciones de provincias,
mendigando quizás aquel destino
de bustos en primera clase; y luego,
la soledad, la lluvia, los caminos,
el apagón tan largo del invierno.
Hemos dejado atrás los años fáciles,
los poemas sin vida, el cielo azul,
las cenizas parejas de mis padres
diciéndonos adiós, el fausto Sur.
Ya no somos los mismos, ya no somos
los jóvenes poetas que reían,
seguros de sus sueños, en las fotos;
esos del leve hastío en poesía.
En un andén de frío y madrugada,
unas manos abiertas nos esperan.
Cuando chocan abrigos y distancias,
la alegría se abraza a la tristeza.

(La alegre militancia, 1996)

AMADA MÍA

Es igual que las sábanas me sean familiares
o que una cara nueva ponga en vilo mi noche.
Cada mañana el rito se oficia sin variantes:

el sol y su rutina de claridad benéfica
se llegan hasta el sueño, y me creo culpable
de no sé qué delito cuando el ojo recibe
para empezar el día su cuota desbordante
de luz. Deseo entonces recuperar la ropa,
alisar los recuerdos, correr hacia la calle
a vivir en las cosas con ninguna importancia.
Pero el cuerpo —¿lo sientes?— siempre está bajo llave,
clavado en la madera solitaria y humilde
de otro cuerpo que sueña, al calor de la sangre,
redimir así juntos no sé bien qué pecado.

PRIMAVERA EN SKÅNE

La primavera nórdica como el amor es falsa

LUIS CERNUDA

Nos despierta la luz: un telegrama
que coge por sorpresa a la ternura
con sus malas noticias. Con premura,
salto al frío: el trabajo me reclama.
Te dejo hecha un ovillo por la cama.
Creo que estás dormida. Qué locura:
tienes puestos los sueños a la altura
de mi alma. De repente, algo llama
mi atención. Es tu voz que se desviste:
«¿Eres feliz, José?», pregunta, grave,
como si no esperara que lo fuera.
Andando despistado, casi triste,
el corazón. Entonces ya no cabe
duda: será verdad la primavera.

AL OTRO LADO DEL RÍO
(Himmelriksgränden, Helsingborg)

La hierba siempre está más verde al otro lado del río.

REFRÁN SUECO

A Alfonso Sánchez Rodríguez

Si a nuestra puerta vienes, extranjero,
temeroso del frío, de la nieve
que denuncia los pasos y traduce
las palabras en humo indescifrable,
perplejo ante la noche prematura,
esa robusta noche de los bosques
perennes o del témpano en las tejas;
si eres tú, extranjero, quien pregunta,
perdido en la grandeza del silencio,
a la madera extraña con extraños
sonidos o con tímida insistencia,
llama hasta derribar la oscuridad,
descálzate y descansa junto al fuego.

El muérdago decora en estos días
la casa, por el claro de las hojas
nos llegará el trineo de la infancia
cargado de ilusión y, en tanto hierve
en las ascuas el vino, encenderemos
velas que nos recuerden las espigas
en un amanecer de primavera.
¿A qué noche, en qué nieve, de qué frío
sentir temor, si frío, nieve y noche
son los heraldos mismos de la vida?

TABLAS VOTIVAS
(Sankta Maria Kyrkan, Helsingborg)

Y ahora pon hielo en tu música.

EEVA-LIISA MANNER

Sin devoción avanzo por el templo:
es sólo calma oscura, esbelta nieve
en los toscos maderos de una cruz.
De las bóvedas caen dos cadenas,
en las cadenas bogan unos buques.
Los guían las estrellas de los cirios
allá en sus olas de aire sin espanto.
Qué lejos de las piernas mutiladas,
de los ojos brumosos, de los cuerpos
con tumores de plata, y qué serenas
estas tablas votivas cuando piden
por la paz de los hombres en sus barcas.
Recuerdo las rodillas de mi madre
humilladas en tierra,
lozanas todavía,
y los brazos en cruz de las mujeres,
mástiles de dolor entre los bancos
de misteriosa niebla. Nunca olvido
la brisa removiendo los mechones
de pelo, el arañazo de la sangre
en la piel azulada de aquel náufrago.
Y no quiero acordarme.
Sin devoción avanzo por el templo.

(La primavera nórdica, 1998)

311

Vicente Valero
(Ibiza, 1963)

Vicente Valero destaca entre las últimas promociones líricas por una poesía de extraordinario vigor y originalidad. Su verso, con frecuencia endecasílabo, capta la fuerza deslumbrante de la luz, el mar, los objetos, la naturaleza árida y soleada de su isla. Pero no se detiene ahí, sino que descubre insólitos modos de mirar y evocarlos con un nuevo lenguaje hasta desentrañar su sentido profundo y a veces simbólico. Como dice Sergio Gaspar, Valero «concibe la experiencia poética como camino posible hacia un conocimiento privilegiado de la realidad y sus misterios» *(Quimera,* 119, 1993, pág. 70).

De lo trivial y diario Valero pasa a la meditación ponderada y a la «gran hondura metafísica», como dice Octavio Paz, dentro de su verso realista y «nada abstracto». Sabe recordar paisajes de fuerte colorido, pero pronto advertimos la intensidad simbólica de los mismos cuando al fin se pregunta si es más importante lo que se ve o lo que no se ve; o va pintando un bodegón, con el pan, el vino, los licores y los objetos cotidianos, pero sabe ahondar su sentido al preguntar en el último verso: «¿Y si esta mesa fuera la mesa verdadera?» Vicente Valero, inquieto buceador del misterio, no acaba en la afirmación, sino en el perturbador interrogante, que él convierte en técnica expresiva, proyección de su espíritu insatisfecho y de su deseo de bucear en lo más complejo y profundo.

En un perfecto poema metapoético, tan común en la lírica postmoderna, describe Valero al poeta, en versos acerados y precisos, como «el mensajero» de mundos lejanos y misterio-

313

sos, que «vio, escuchó, tocó», y que al fin logró ponerle «palabras nuevas a lo invisible» *(Teoría solar,* XXII). Con ello está definiendo su poesía, que fluye original, cargada de emoción y de intensa ambición metafísica.

Sin pretender encasillarlo entre los «poetas de la experiencia», hay que reconocer que su poesía refleja la experiencia cotidiana, habla de hechos a veces insignificantes (la salida vespertina, el huésped que comparte su vida, ir a una fiesta o el trasnocheo en los bares hasta el amanecer). Hace de la vivencia sensorial e intelectual de su entorno una experiencia trascendente en el sentido profundo que, tras perder la fe en el más allá, le daba el romanticismo inglés. Percibe con los sentidos muy abiertos las vibraciones y sensaciones de su mundo, que describe como «la tierra roja» o «el mar undoso» («Conocimiento»), cargados de historia, emociones y fábula, siempre esperando la revelación trascendente. Se podría hablar de una poesía metafísica, que trata de descifrar el misterio de las cosas.

Obra poética:

Jardín de la noche, Barcelona, Ediciones del Serbal, 1986.
Herencia y fábula, Madrid, Rialp, 1989.
Teoría solar, Madrid, Visor, 1992.
Vicente Valero, Palma, Universitat des Il.les Balears, 1994.
Vigilia en Cabo Sur, Barcelona, Tusquets, 1999.

AL-SABINI[33]

Reposaba Al-Sabini en sus jardines,
junto al mar de los pétalos abiertos.
Y en ocasos de espuma transparentes
sus labios se entreabrían. Susurraba

las canciones sencillas de la noche,
las palabras bañadas por el vino.
Y en los cuerpos más dóciles de junio
la sombra del sur pura celebraba.

Era breve el instante de su sueño
que un aroma muy frío consumía.
Susurraba el poeta. Una música

se alzaba de los nombres más amados.
Los labios en el mar se han esparcido,
las rosas en el beso más oscuro.

(*Jardín de la noche,* 1986)

---

[33] Sobre este misterioso personaje dice el autor: «se trata de un poeta árabe nacido o residente durante muchos años en la isla de Ibiza. Su nombre era Idris Ibn Al-Yamani (? 1077). Parece ser que fue un prestigioso poeta de su tiempo. Su sobrenombre, Al-Sabini, hace referencia a la sabina: un árbol muy característico de la isla. Se sabe poco de él y se conocen muy pocos versos suyos. Los dos versos finales de mi poema, escritos en itálicas y entrecomillados no son suyos, sino completamente de mi invención» (Carta, 12-IX-1999).

CONOCIMIENTO

Si lo que un hombre quiere es conocerse,
la tierra roja mire, el mar *undoso*.
Con sol y barro ha germinado el surco,
urdido desde antiguo por la vida.
Arda su corazón entre los símbolos,
acaso nunca escritos, aunque firmes
en el lento fluir de las costumbres.
Si lo que un hombre quiere es contemplarse
en el espejo blando de sus frutos,
celebre el sueño fértil de la luz
que baña con leyendas su memoria.
No fue inútil su viaje, ni la casa
construyeron en vano los que huyeron
de la noche cerrada y de los monstruos.
Quien ama la quietud ama una tierra.
Si un hombre, en el cansancio de sus manos,
en la mirada hueca de sus ojos,
lo que quiere es tan sólo conocerse,
busque su rostro seco entre los surcos
maduros de los huertos y las olas.
Encontrará su patria derramada
entre olivos, cisternas y viñedos,
sobre la amarga piedra del sarcófago.

PATRIA DE CAL

Nuestra patria es la luz, la cal salobre,
la piedra antigua, el fruto calcinado.
Nadie sabe ya cuándo llegó un hombre
—un largo y duro viaje le traía—,
instaló sus costumbres, murió viejo.
Su casa la habitaron otros hombres
de pueblos muy distintos que dejaron

una herencia común, un misma esfuerzo.
El tiempo escribe lentamente y firme,
en la piel de la noche, su transcurso:
una patria también es la memoria
ardiendo en cada sueño, en el cansancio
milenario del mar y del olivo.
Hizo la soledad al hombre libre,
puso en conformidad con la pobreza.
No hay isla sin recuerdo del oprobio,
sin heridas que al sol no hayan sanado
con sólo el don de la serenidad.
Nuestra patria es la luz, la cal salobre,
un legado que afirma la constancia,
la piedra antigua, el fruto calcinado.

UN POEMA DE LAS MIL Y UNA NOCHES

Si al acabar la noche se presenta
con injustos pretextos, en la casa,
la muerte, y solicita lo que es nuestro
desde hace tantos años, ¿quién la invita
a pasar, quién no busca con palabras,
con rezos o leyendas aprendidas,
ocultarse, ahuyentarla, seguir vivo?
Hermosa Shahrázád, no acaben nunca,
aunque la noche acabe, tus relatos,
los viajes de Simbad, la extraña suerte
del joven Aladino, los tesoros
felices de los pobres, el milagro
del caballo encantado, los ensueños
del príncipe, la luz maravillosa
de las lámparas dulces que alimentan,
aplazando el momento indeseable,
tu esperanza, la nuestra, la del mundo,
tejiendo el hilo grácil de la fábula,
el don puro de la imaginación,
palabras y palabras contra el Monstruo.

EL DESTINO DE DIOMEDES[34]
O
CONÓCETE A TI MISMO

Ilíada, V

Después de haber luchado contra el hombre,
quiso también luchar contra los dioses,
y en su osadía halló conocimiento
muy puro y para siempre y doloroso.
Soberbio como era, no temía
una venganza cruel sobre sus hombros
o un conjuro fatal para su pueblo.
Primero hirió la mano de Afrodita,
entre la conmoción de los que reinan
la patria de lo ignoto eternamente.
Mas, cuando osó también herir a Apolo,
muy arrogante el dios alzó sus armas
de palabras broncíneas, infalibles:
Reflexiona, tidida, ve y déjalo,
no quieras igualarte con los dioses.
Y un profundo dolor detuvo al héroe,
que supo para siempre su derrota
y la inutilidad de sus esfuerzos.
Incruenta era la herida, pero firme
y segura y veraz en aquel pecho
que dejó libremente que volaran
las blandas ilusiones hacia mundos
cerrados para el hombre, un instante
de su felicidad, de la que queda

---

[34] Diomedes, rey de Argos, hijo de Tideo y uno de los más destacados héroes de la guerra de Troya y de la *Ilíada*. Realizó numerosas hazañas gracias a la protección de Atenea. Luchó victoriosamente contra Héctor y Eneas y hasta hirió a la diosa Afrodita, por lo que fue castigado por ella con el desamor de su esposa al volver a su patria. También Apolo, como recuerda el poeta, le dio una fulminante lección y castigo.

sólo sabia lección, prudente aviso,
la verdad más antigua de los versos.

(Herencia y fábula, 1989)

(FUENTE)

Era como asomarse a lo más hondo nuestro.
Aquí, la higuera seca, apuntalada. Allá,
este camino por el que no pasa nadie.
La luz, un fuerte olor a ruda, las abejas.

Era como volver nuevamente al principio.
La fuente rota, hundida (rodeada de enebros).
Ah, pájaro. Tú sí que sabes ver, a solas,
girar, encaramarte, cantar a media luz...

Fuimos, como animales extraños, atraídos
por esta idea nuestra de empezar otra vez,
de saber algo más de nosotros, sintiendo
en nosotros el mar, la luz, la primavera...

¿Y si la muerte fuera esto que nos han dicho,
esto en lo que resulta ya imposible creer?
Bebimos. Y la noche se abrió para nosotros.
Olía a luna llena, a zapatos mojados.

Era como asomarse a lo más hondo nuestro.
Pájaros, cicatrices, astros... (A media luz.)
Bebimos. Y la noche era una voz, *ardía.*
¿Y si esta fuente fuera la fuente verdadera?

(BODEGÓN)

Sobre la mesa el peso del domingo, los platos,
las horas más espesas de nuestra voluntad,
los licores, el humo, la calma, los rumores.

Sobre la mesa el rastro sereno de la tarde,
que abate y uniforma, con su luz digerida,
el aire satisfecho, pesado, de la casa.

Sobre la mesa el pan a trozos que aún preside,
como un rey mutilado, su gobierno de estómagos,
su reino caluroso de lentas digestiones.

Sobre la mesa el vino amargo, con sus posos,
como una tregua antigua a punto de romperse:
las moscas olfatean, se posan en los vasos.

Sobre la mesa el alma de los que ya se fueron
y parece que buscan aún desde su ausencia
las palabras, la fruta, los olores, el sueño.

Sobre la mesa, sueltos, recuerdos de familia,
nostalgias y propósitos: mondas a media luz,
para que el perro pueda escrutarlas a gusto.

Sobre la mesa el pan, el vino, las palabras,
el domingo, los sueños, el humo, los rumores...
¿Y si esta mesa fuera la mesa verdadera?

(Teoría solar, 1992)

III. VOLVER

Fui con el otro que yo fui, con el primero,
con el que no sabía hacer las paces
nunca con su gran sed de saber más... Queríamos
ver otra vez el sol que apenas se veía,
juntos, el sol fuera de sí, sin miedo,
el humo de la tarde más lenta sobre el mar:
ver otra vez el sol que apenas se veía.
Y éramos dos ahora y con sentido,
hablando por hablar, a solas, discurriendo

por los caminos blancos del pasado,
blancos de luz ausente y dulce, ya de noche.
Vimos que el tiempo es todo lo que vemos,
que todo lo que vemos se parece,
y un bosque junto al mar no es solamente un bosque,
es música también —y casa propia,
y herida penetrante y muy espesa...—. Fuimos
los dos por los acantilados rojos
y secos del pasado, juntos, sin las promesas
de entonces, lentamente. Y recuerdo que estaba
todo en desorden como el primer día.

CON EL BUSCADOR DE FÓSILES
(VIII)

... A mí, toda esta muerte nuestra, oscura,
me parece (nos dijo) solamente
otra mentira más del mundo. Y sin embargo,
ah, la muerte: con qué dolor y miedo
pasan nuestras palabras por su lado,
para no despertarla, de puntillas. Tal vez,
este saber tan poco o nada
nos da una cierta fuerza, una seguridad
desconocida. A veces,
pienso que el hombre debería, al morir,
lograr *aquello* en lo que creyó
siempre. Un infierno para
quienes soñaron un lugar tan detestable.
Un cielo igual de azul que éste
para quienes amaron
y buscaron (de alguna forma) un paraíso
claro, de verdad. Y la nada
absoluta, total, para los que creyeron
en ella y la llamaron: con pasión
atormentada o con serenidad
imperturbable.

(XI)

... Guardo en secreto, para la poesía, lápices
de todos los colores, flores secas
y postales de exóticos países. Guardo
(también) botellas, caracolas,
para la poesía, fósiles y más fósiles,
mapas y ceniceros, un baúl
repleto de juguetes rotos, y el traje negro
que me puse en mi propio funeral:
todo (nos dijo) para la poesía. Espejos
donde mirarse daba mucha pena,
lámparas y relojes, y los libros
heredados que ya no leeré... Acumulo
para la poesía solamente,
y en un lugar tan húmedo y cerrado,
oscuro y sucio de verdad,
que (ciertamente) ahora mismo no sé,
si llegara por fin la poesía,
cómo iba yo a poder caminar entre tantas
cosas, ni con qué efímero entusiasmo
bailaría con ella
                            sin caernos.

(Vigilia en Cabo Sur, 1999)

Vicente Gallego
(Valencia, 1963)

Se revela ya como poeta destacado con *La luz de otra mane-ra* (1988), considerado por J. L. García Martín «uno de los libros más originales de la actual poesía española» («La versatilidad...», pág. 38), en que la voz poética va recogiendo en la forma de anotaciones de un diario una serie de experiencias y vivencias personales. Sabe engarzar reflexiones y sentimientos que revelan la interioridad del individuo y van diseñando una especie de autobiografía íntima. El péndulo de la expresión lírica marca con ello el extremo opuesto a la llamada poesía social. El protagonista lírico habla con frecuencia en la más absoluta soledad, consciente de estar disfrutando de un bello instante de la vida en sintonía con el cosmos: «la absoluta dicha de ser y de saberlo, / el hoy, mi placidez iluminada, / una insignificancia que estalla en universo» («noviembre, 18»). Con los sentidos muy despiertos va vertiendo en sus versos el fluir de la conciencia, lo que ve, observa y siente, entre el cielo y el mar, mientras se siente envuelto en la luminosidad mediterránea («octubre, 16»).

En el siguiente libro, *Los ojos del extraño* (1990), dentro del marco de las comunes experiencias cotidianas podríamos decir que se acentúa la meditación profunda en torno al «pasar mediocre de los años», la mentira, el desencanto, la brevedad de la vida y la lucha inútil contra «el devastador ejército del tiempo». J. J. Lanz caracteriza certeramente este libro como «un tipo de poesía de la experiencia que hereda el narrativismo de la generación del 50 y a la vez un lenguaje voluntariamente prosaico, que, sin embargo, se expresa en versos perfectamente medidos; por otro lado hay una historia sentimental, que remite al libro a raíces románticas» («La poesía española: ¿hacia un nuevo romanticismo?», pág. 44).

La herencia de los novísimos se percibe en poemas metapoéticos, en que se analiza el proceso creativo. En «Muchacha con perro» reflexiona sobre los modos posibles de dar expresión a la escena que tiene ante sus ojos, de qué modo «trasladarla al poema sin que pierda su vida». Al fin se decide por prestar toda la intensidad a la «emoción callada» de un hecho diario, la emoción de unos ojos que contemplan «el dolor inmenso / que esa escena sencilla es capaz de evocar». En un libro posterior, *La plata de los días* (1996), sigue la misma línea al enseñar cómo se escribe un sincero y auténtico poema de amor, «sin halagos, sin rosas», recordando a la amada hechos que prueban más que los versos de la vieja retórica («Recado de escribir»). Vicente Gallego combina la riqueza sensorial, la meditación constante y la evocación de simples momentos de la existencia con un lenguaje, a veces prosaico y cotidiano, pero de gran vigor e intensidad expresiva.

OBRA POÉTICA:

La luz de otra manera (1985-1986), Madrid, Visor, 1988; ed. corregida, Granada, Maillot Amarillo, 1998.
Los ojos del extraño (1986-1990), Madrid, Visor, 1990.
La plata de los días (1990-1996), Madrid, Visor, 1996.

SEPTIEMBRE, 22

Me dices que es absurdo el universo,
que la vida carece de sentido.
Pero no es un sentido lo que busco,
cualquier explicación o una promesa,
sino el estar aquí y a la deriva:
una simple botella que en la playa
aguarda la marea.
Sí, la palabra justa es abandono:
una dulce renuncia que me nombra
señor y dueño al fin de mi camino.
Queden hoy para otros
los afanes del mundo, y que mi mundo sea
la magia de esta casa
tomada en su quietud por la penumbra,
saber que nadie llegará
a interrumpir mi tarde,
que no habrá sobresaltos,
ni voces, ni horas fijas,
porque ahora es tan sólo transcurrir
mi gran tarea.

OCTUBRE, 16

Despierto. Pesa el sol sobre mi rostro
y la arena ha tomado mi forma levemente.
Incorporo un momento la cabeza

y el cielo es todo mi horizonte,
un cielo de ningún color sino de cielo,
de cielo que yo veo en una vela,
la vela diminuta que recorta
y fija el universo en su contraste.
Y luego el mar,
el mar bajo la vela, ese mar que es inmenso
pues llega hasta mi vientre y no concluye.
Entre el cielo y el agua me detengo un instante,
y después me acomodo hasta quedar
sentado por completo.
El mar entonces me abandona, se calienta
confluyendo en un punto y acercándose a mí,
pero un cangrejo cruza en ese instante
y mis ojos se van con el cangrejo,
y el cielo se hace rojo en su coraza,
y el mar se pierde y nada pesa.
Y al fijar la mirada atrapo el universo,
completo y detenido en su pasar efímero
a lomos de un cangrejo que lo arrastra,
sin saberlo, un segundo.
Y pienso que en las grandes creaciones
vida y arte no alientan en lo extenso,
sino en ese detalle que despierta
nuestro asombro.
El crustáceo se oculta
y nos apaga el mundo.

NOVIEMBRE, 18

Hay una claridad de lluvia no lejana
y estoy aquí sentado ante este mar
profundamente gris. No busco una respuesta
a este enigma de estar que es ir fluyendo
entre el miedo y la dicha de la carne.
Ninguna salvación, ningún consuelo
que no sea este espacio que ahora ocupo,

esta dicha de ser y de saberlo,
el hoy, mi placidez iluminada,
este abandono dulce en el que aguardo
a que la luz me colme y quede solo
con este mar enfrente,
sin este nombre mío, y en mi centro.

NOVIEMBRE, 26

Que nuestras manos puedan
protegernos del sol,
que eclipsen su contorno totalmente,
no debiera ocultarnos el tamaño
de ese astro al que quiero llamar padre.
Bajo su luz desnuda
no precisan las cosas de adjetivos:
la mañana del mundo es cuanto tengo,
contra su cielo soy
un cuerpo frente al mar que ahora procura
disfrutar de su instante
en el hueco sin pausa de los siglos.

Austeridad y lujo de lo exacto.

(La luz de otra manera, 1988)

EL TURISTA[35]

A Graciela, Jorge y Luisa

Has llegado a Venecia, descreído
de su encanto, dispuesto
para el poema fácil contra ella,
ya tópico también. San Marcos, El Rialto,
La Academia del Arte, los Caballos
misteriosos y bellos que hechizaron
al gran Napoleón. Cuánto prodigio,
cuánta historia evidente, hermosa y fría.
Mas no es la piedra lo que buscas, buscas
las pasiones que encierra, los modestos
secretos de unos hombres como tú.
Qué magia en los mercados, en las gentes
que aburridas se cruzan con tu asombro,
Venecia es para ellos la mujer,
acostumbrada y bella, que ya no les seduce,
aunque sepan amarla sin estruendos.
Los canales estrechos, las ventanas
—¡qué promesa tan rara en las ventanas!—,
los rincones que ignora el vaporetto,
la pareja aburrida en el Florián,
y nosotros, ¿por qué no?,
nosotros mismos. ¿Qué nos aguarda tras los días?
¿Por qué esta intensidad inesperada,
este deseo antiguo, al ser felices,

---

[35] El tópico veneciano, puesto de moda por los novísimos, le inspira este poema, en que se siente atraído —a diferencia de aquéllos— no por la riqueza artística y la atmósfera decadente, sino por el acontecer humano de la vida diaria en Venecia, la pasión, «la pareja aburrida», la insignificancia, los rincones ignorados y —al fin, coincidiendo con los novísimos— ver cómo cae la tarde «igual que nuestra juventud» y el gesto humano de la muerte, que le revela la tumba de Ezra Pound, el poeta estadounidense, muerto en Venecia (1972), autor de *Cantos*.

de todas las personas que amamos y ahora están
distantes, o más lejos, perdidas en los años,
este sentirnos vivos de repente, y a la vez
tan insignificantes, tan turbados?

Pero ha sido preciso llegar al cementerio
para entender Venecia, y entender
el secreto sencillo de todas las ciudades:
nuestro asombro escondido —no importa si en palacios
o en rincones oscuros—; la mirada inocente
que redescubre el mundo en este instante,
saber que estamos vivos, y contemplar la tarde
que cae despacio, igual
que nuestra juventud, o la voz de un poeta,
Ezra Pound, que jamás me emocionó
con sus cantos oscuros y distantes,
y que ahora yace aquí, escondido y fértil,
entre miles de tumbas, para que yo esta tarde
me sienta así, febril, dichoso y triste,
y escriba estas palabras
emocionado al fin ante su nombre,
ante ese gesto suyo tan humano,
repetido y extraño de la muerte.

LA PREGUNTA

A Fernando Sebastiá, Manuela Serrano y Lola Fons

> *A medida que vivo ignoro más las cosas;*
> *no sé ni por qué encantan las hembras y las rosas.*

RAMÓN LÓPEZ VELARDE

En la noche avanzada y repetida,
mientras vuelvo bebido y solitario
de la fiesta del mundo, con los ojos muy tristes
de belleza fugaz, me hago esa pregunta.

Y también en la noche afortunada,
cuando el azar dispone un cuerpo hermoso
para adornar mi vida, esa misma pregunta
me inquieta y me seduce como un viejo veneno.
Y a mitad de una farra, cuando el hombre
reflexiona un instante en los lavabos
de cualquier antro infame al que le obligan
los tributos nocturnos y unas piernas de diosa.
Pero también en casa, en las noches sin juerga,
en las noches que observo desde esta ventana,
compartiendo la sombra
con un cuerpo entrañable y repetido,
desde esta ventana, en este mismo cuarto
donde ahora estoy solo y me pregunto
durante cuánto tiempo cumpliré mi condena
de buscar en los cuerpos y en la noche
todo eso que sé
que no esconden la noche ni los cuerpos.

EN LAS HORAS OSCURAS

En las horas oscuras
que van creciendo en nuestras vidas
al igual que la noche se alarga en el invierno,
en esas horas, a menudo,
una imagen tenaz y hermosa me consuela.
Regreso hasta una playa de otro tiempo,
todavía cercano. Es un día precioso
de final de septiembre, brilla el mar
con su estructura lenta, sugestivo y exacto
como un cuchillo. Quedan
unos cuantos bañistas a esa hora
dudosa de la tarde, y no estoy solo,
un grupo de muchachas me acompaña,
el sol dora sus cuerpos de diecisiete años,
y es ya fresca la brisa, y en sus nucas
la humedad reaviva el aroma a colonia.

Y la tarde transcurre dulcemente,
mas sin gloria especial, y las muchachas ríen,
y me dan su alegría, aunque no amo a ninguna,
y hay un aire de adiós en cada cosa:
en el mes avanzado, en los bañistas,
en el estío lento, en aquellas muchachas
que desconozco hoy, y en la luz de la playa.

Apuré aquel momento agradecido,
al igual que se goza un hermoso regalo,
en su dicha sereno, destinado a perderse
tras la felicidad frecuente de esos años.
Y ahora comprendo que en aquella tarde
algo más que belleza se ocultaba,
porque su luz me salva, muchas veces,
en las horas oscuras, y se empeña,
con una obstinación absurda que me asombra,
en volver a mis ojos y a mis días.
En las horas oscuras
una imagen tenaz y hermosa me consuela,
y me lleva al verano y a una tarde.
Y yo aún me pregunto por qué vuelve,
y qué es lo que perdí en aquella playa.

(Los ojos del extraño, 1990)

ÉCHALE A ÉL LA CULPA

A José María Álvarez y Carmen Marí

Hoy te has ido de fiesta con amigas,
y sin que tú lo sepas me regalas
un tiempo de estar solo que ya empieza
a ser raro en mi vida, un tiempo útil
para intentar pensar en ti como si fueras
lo que siempre debiste seguir siendo
cuando pensaba en ti: aquella persona,

en todo semejante a cualquier otra,
que una noche lejana tuvo el gesto
generoso y extraño de entregarme su amor.
Pero el amor nos cambia, nos convierte en espías
ridículos del otro, en implacables jueces
que condenan sin pruebas y comparten
sus estúpidas penas con el reo.
El amor nos confunde y trata ahora
de que vea en tu fiesta una traición.

Por huir de esa trampa me amenazo
con los nombres que cuadran al que cae en su vacío:
egoísta, ridículo, inseguro, celoso...
Y como un ejercicio de humildad pienso en ti
divirtiéndote sola: te imagino bailando
y mirando a otros hombres;
al calor del alcohol
confiesas a una amiga algunas cosas
que te irritan de mí sin que yo lo sospeche,
y por unos instantes saboreas
una vida distinta que esta noche te tienta
porque eres humana, aunque no me haga gracia.

Ahora caigo en la cuenta de que dudas
como yo dudo a veces, y que también te aburres,
y que incluso algún día habrás soñado
follar como una loca con el tipo que anuncia
la colonia de moda.
Para calmarme un poco
tras la última idea, yo me digo
que el amor es un juego donde cuentan
mucho más los faroles que las cartas,
y procuro ponerme razonable,
pensar que es más hermoso que me quieras
porque existen las fiestas, y las dudas,
y los cuerpos de anuncio de colonia.

Lo que quiero que sepas es que entiendo
mejor de lo que piensas ciertas cosas,

que soy tu semejante, que he pensado besarte
cuando llegues a casa; y que es el amor
—ese tipo grotesco y marrullero—
el que va a hacerte daño con palabras
absurdas de reproche cuando vuelvas,
porque ya estás tardando, mala puta.

RECADO DE ESCRIBIR

Para Encarna Oliva

De qué forma explicarte que por ti
lo he hecho ya casi todo: renunciar a las otras,
renunciar a las noches en que ellas
en torno a mí giraban con la música
como giran las noches, como todo giraba
en aquel tiempo hermoso que juré
detener para siempre, como gira el deseo
al que he vuelto la espalda, como también a veces
la mirada se gira hacia esos días
que por ti he convertido en mi vieja leyenda.
De qué forma explicarte
que por ti me he desdicho: los amigos de entonces
se sonríen al verme, no me habla
mi soledad de siempre, ni siquiera el alcohol
me sienta como antes, y he perdido
mi destreza en el baile.
De qué modo explicarte, sin que lo entiendas mal,
que hasta mi juventud me va volviendo
la espalda, que por ti
lo he hecho ya casi todo, excepto aquello
que juzgabas tan fácil, que me pediste tanto
sin que nunca supiera atender tu ilusión:
el poema de amor que por fin te dedico
y que tal vez te oculten estos versos
sin halagos, sin rosas, estos versos
que no sabrán en nada parecerse

a los que tú soñaste. Un poema de amor
verdadero, sin trampas, sin palabras hermosas.

(La plata de los días, 1996)

DELICUESCENCIA

A José Saborit

Reventado clavel blanco y distante,
lepra inversa del cielo sois vosotras,
altas nubes de junio.

¿Qué sonora alegría le regala
de cristal afinado
vuestra espuma inocente a la mañana nuestra,
y de dónde nos llega esa emoción,
tan misteriosa y nítida,
que produce observaros en el día del hombre?

Formas breves de un sueño sois vosotras,
confirmación liviana de estos ojos
que os contemplan flotar
calladamente
sobre la cima hueca de la vida.

Delicuescencia pura y noble sois,
blancas nubes serenas,
felicidad sin causa
bajo el cobre encendido de este sol impasible.

Como nosotros mismos sois vosotras
y por eso miraros nos conmueve,
altas nubes de junio:
humo limpio de un tiempo en que juntos ardemos.

(Inédito)

Almudena Guzmán

(Navacerrada, Madrid, 1964)

Tiene la licenciatura en Filología Hispánica y actualmente se dedica al periodismo colaborando semanalmente en un diario de prestigio. Sus libros de poesía han cosechado numerosos premios. Desde *Poemas de Lida Sal* (1981) y *La playa del olvido* (1984) cultiva una poesía de tendencia neosurrealista, que sorprende por su libertad expresiva, el relampagueo de metáforas osadas y una fantasía desbordante, que canta sobre todo los poderes mágicos que despierta la alquimia del amor («Ultimátum») dentro de un lenguaje directo, sencillo y coloquial.

Su talento poético nada común se reveló, logrando una entusiasta acogida de prensa y público, desde la aparición de *Usted* (1986). La crítica alabó unánimemente su «aire nuevo y refrescante», su lirismo ingenuo, su candor, originalidad y descaro. Sobre todo deleita al lector el encanto de una expresión que brilla por su espontaneidad, aunque no sabemos hasta qué punto ésta es elaboración cuidada y consciente.

Usa el verso libre, al igual que tantas mujeres poetas que intentan sacudir los viejos moldes en que se había expresado la poesía amorosa de tradición petrarquista, pero sorprende aún más por su tono coloquial y desinhibido, que «emplea muy eficazmente detalles anecdóticos para reflejar actitudes y atisbos psicológicos» (A. Debicki, *Historia...*, pág. 291). Un elemento importante de esta poesía, muy visible en *Usted*, es el hilo narrativo, tal vez novelesco, que en una serie de poemas encadenados cuenta la aventura, la búsqueda frustrada o el en-

335

cuentro inesperado en torno al severo profesor, Juan, en ambientes urbanos de hoy. Se podría resaltar su sentido del humor, entre la ironía, el distanciamiento y el ingenio chispeante y cínico. Pero sobre todo su poesía triunfa y seduce no por una retórica identificable, sino por su acento íntimo y peculiar, nunca banal, que le presta una voz inconfundible.

Sobre su último libro, *Calendario* (1998), escribe M. García-Posada: «Almudena Guzmán ha vuelto a escribir un interesantísimo poemario amoroso, tan singular al menos como el celebrado *Usted*. Su expresión ha ganado en madurez y su peculiar *versolibrismo* se ofrece normalmente equilibrado, más trabado que en obras anteriores y sostenido siempre por las capacidades metafóricas de esta escritura» *(El País*, «Babelia», 5 de septiembre de 1998). Almudena Guzmán fue una revelación y un aire fresco y renovador de la poesía joven de los años ochenta, como Blanca Andreu o Ana Rossetti. Su último libro la sigue manteniendo muy alta en las vías de ascenso al Parnaso.

OBRA POÉTICA:

Poemas de Lida Sal, Madrid, Libros Dante, 1981.
La playa del olvido, Oviedo, Altair, 1984.
Usted, Madrid, Hiperión, 1986.
El libro de Tamar, Melilla, Rusadir, 1989.
Calendario, Madrid, Hiperión, 1998.

LLAMA DE LLUVIA MAYA

Estalla la poesía de tu piel, Juan, como la miel en un cedro
    mojado; te veo y eres la luz, el brote oloroso que abre las
    ventanas de un día feliz.
Ya ves, aquí me tienes jugando con los grillos del alba
porque a un lado está tu pecho encendido,
las manos se te posan en mi pelo cansado
y entonces nunca ha existido cansancio en mí;
todo lo rompes, Juan, te estableces en mi corazón y allí fun-
    das tu casa
de guacamayos blancos, viento y sal,
las violetas vuelan exasperadas por tu aroma
y el mar se rinde
—grandioso perdedor—
ante ese cabello dorado que a todo le pide cuentas:
al amor, a los encantados caminos,
a los dioses de fuego que alumbran tus ojos de indio desarrai-
    gado.
Siento que sufras bajo los cementos de Madrid,
que te falte espacio para cambiar tus lágrimas por las de la
    luna llena,
pero el tenerte aquí, el vivir junto a un nagual único, inextin-
    guible,
junto a una llama de lluvia que nunca se apaga...
¿A quién debo agradecerle tanta dicha?

De lejos, y sonriéndome como puede desde su eternidad pol-
    vorienta,
Viracocha me hace un guiño de piedra.

ULTIMÁTUM

¡Oh Juan!, ¿por qué sueñas siempre rosas?
Ya no nos caben en la habitación,
esto no puede seguir así:
Cada día te levantas con las sábanas llenas de rosas
y si por casualidad hacemos el amor
no se conforman con quedarse quietas de mañana, no:
danzan las gamberras al son de los exquisitos minués que tra-
    zan tus dedos al vestirme.

Por eso, me niego a que me pongas la camisa,
a que me anudes el pañuelo...,
dime, ¿qué vas a hacer con esa encina desdentada y la came-
    lia negra que se vinieron contigo cuando terminaste de dar
    un paseo por el campo?

Ayer nos sorprendió un aguacero precioso
y como yo no llevaba gorro y sí el pelo recién lavado,
convertiste las gotas en diminutos paraguas de nácar,
yo te agradezco la gentileza de tu magia
pero el campo necesitaba agua
y lo dejaste blanco, tan blanco,
que parecía leche cuajada.
Menos mal que luego caíste en la cuenta del error
y los paraguas volaron para dejar paso
a tres mil nubes que se posaron dulcemente
en los prados, en los cerros, en los sembrados
para dar alegría y pan al santo campesino
que se hizo arrugas de un metro de profundidad por reír tanto.
En fin, Juan, haces lo que quieres con la naturaleza
y a mí me irrita el no poder enfadarme nunca contigo
a pesar de tener motivos grandes y justificados.

Desde ahora te anuncio mi ultimátum:
una de dos, o renuncias a tu poder modificante
de niños que cambian pañales por barcos,

de aceituna que, porque le da la gana, se transforma en ciruela los domingos,
o nos mudamos a otra buhardilla
que tenga el suficiente espacio para meter allí todos tus trastos...
¡Porque mira que eres pesado!
Porque mira que te quiero tanto, alquimista barato.

(Poemas de Lida Sal, 1981)

FOTO ANTIGUA

Y esa monicaca manchada de chocolate hasta los kikis de rosados lacitos soy yo.
Quién lo diría.
Quién adivinaría en esos ojitos dulces un atisbo, sólo un atisbo de amargura.
¡Si ella, la otra yo, la que fue voraz consumidora de leche condensada, me conociera ahora!
Ahora que estoy hecha un asco, ajada, sin luz, luciérnaga exenta de brillantes culebreos.
Qué pena.

La abstracción de mi mente ha culminado en un monolito de sal. Y ya no quiero escribir más.

DESLUMBRAMIENTO SOMBRÍO

Esta mañana, el helado y marchito sol de enero hizo estragos en mis ojos.

Por él, vi con más intensidad a esa gitanilla en manga corta que pedía junto al metro,
tuve plena consciencia de lo arduo de nuestro amor,
me horroricé al contemplar los ametralladores grabados de Goya,

339

y salí de nuevo a la calle con las manos encogidas de angustia
sin saber —pálida prisionera de los subterráneos— si me
bajaba en Velázquez o en Lista.

Y subí las escaleras de dos en dos para encontrar a la muerte
cómodamente recostada en mi gélido cuarto.

(La playa del olvido, 1984)

ANOCHE,
al abrir los ojos para apartarme de la boca un cabello,
la mirada que luego alcé
por encima del hombro de mi amante
—inexplicable reflejo—
tuvo que detenerse cuando ya iba a salir al pasillo.

Usted,
apoyado en el quicio de la puerta,
se reía de mí.

(Y sus labios como girasoles inversos
rehuyeron la sudorosa
        luz del cuarto.)

1

UNA MUJER DE RON Y ESMALTE NEGRO,
flequillo y vagina cosmopolita,
me abre sus piernas tras los cristales del meublé.

Es la niebla.

340

VELADAMENTE,
descorriendo pestillos,
ha llegado hasta mi cuarto
una pantera translúcida con la piel de diamante
que me morderá la nuca cuando menos lo espere.

Es el deseo.

1

QUÉ HAGO YO AQUÍ MEDIO BORRACHA
escuchando a este cretino
que sólo sabe hablarme de la mili,
mientras me tapa baboso la calle y la vida
con su espalda.

Y encima estoy sin tabaco.

(Menos mal que desconecto en seguida
pensando en ese géiser de besos
que le provocaré a usted, sin duda,
cuando su camisa se digne o se resigne
a dejarse desabrochar por mi mano.)

PRESOS LOS DOS DE AQUEL IMPOSIBLE DECORO ADOLESCENTE,
ni yo me sonrojé ni usted tampoco hizo nada por llamarse al
    orden
cuando después de las risas y las aceitunas rellenas,
habiéndonos lubricado previamente el oído
con una minuciosa lista de vicios sexuales,
fuimos al amor como quien va al estanco de los primeros ci-
    garrillos.

(Usted, 1986)

CUANDO DANIEL NO ME SALUDA,
qué ganas.

Qué ganas de ahorcarme en la viga del arco iris.

AHORA,
ahora que no soporto que me roce
ni el terciopelo del vestido de mi madre,
que me paso las noches tirando piedras
al cielo
a ver si hay suerte y le doy a Dios en un ojo,
vas y me acaricias la nuca,
Daniel.

(Es como si alguien hubiera ofrendado
la muerte de mi padre
a tu silencio
para que yo volviese a vivir.)

(El libro de Tamar, 1989)

SUAVE ES LA TARDE CON SU DESVARÍO DE PÁJAROS
al fondo
y sus castaños de Indias abiertos a la calma
de quien no espera nada.

También la flor de pascua de mi mesa
obedece sin espejos a los rayos del sol
y crece:
bueno es este mundo y amable
como la lluvia y la brisa en las rosas.

Sólo yo no he aprendido la lección de las lagartijas
engarzadas en la pared

ni la del gato que se enrosca sobre mí mismo.
Pobre diablo aquel que desafía y pretende quebrar con relojes
  y amores
el ritmo de diamante de la vida.

Y QUÉ DECIR DE LA POESÍA
de la que eras grumete,
timonel y capitán a la vez,
siempre avanzando cara al sol
o contra el viento,
siempre izadas en medio de la lluvia
o trepando por la primavera de los mástiles
las velas de nieve de su corazón,
las rojas azaleas de su bandera.
Entonces el tiempo pasaba rápido como una bandada de
  delfines
limpiando la cubierta de inútiles aparejos,
sorteando los escollos de falso coral,
evitando el transitado cabotaje;
de los piratas amabas la magia
de convertir en propio el oro ajeno,
de los marinos oficiales odiabas el engaño
de trocarlo en galonada baratija de nadie.
Y al atardecer,
subida al palo mayor catalejo en mano,
sentías que todo aquello que no era tierra a la vista
era tuyo.

ME HABLABAS Y ME HABLABAS,
mientras llovía,
de las excelencias de la vela,
de amuras y drizas
y demás nomenclatura misteriosa
para una sirena varada como yo.

343

No entendía ni entiendo de lescas ni de llenos
y la cabullería me sonaba a mucho lío:
ahora ya puedo decírtelo.

(Lo único que supe entonces
es que más tarde estaría contigo
en la cresta de una ola.)

ROSAL CHINO[36]

Siempre que llueve
me acuerdo del cómo, del cuándo y del porqué
de tu rescate:
yo estaba en Jumbo buscando la sección carnicería
y me perdí en el laberinto de Knossos
de los detergentes
sin más ariadna que mi carrito;
un teseo que andaba por allí,
y que no soltaba hebra,
me aventuró con el dedo la remota salida
pero no la encontré,
así es que harta de dar vueltas
al menhir de los mistoles
y de tropezarme cada dos por tres con el mentado teseo
—mucho hilo y mucha ariadna y, a la hora de la verdad,
tampoco sabía salir, el muy fantasma—,
me alejé y me alejé
hasta que ya no pude alejarme más
porque me topé de bruces con el minotauro,

---

[36] Juega con el tema del laberinto de Creta, palacio que según la mitología griega construyó el arquitecto Dédalo junto a Knossos por orden del rey Minos, para encerrar en él al Minotauro, dado a luz por su esposa Pasifae. Éste era un monstruo de cabeza de toro y cuerpo de hombre, que al fin fue muerto por Teseo, quien con la ayuda de Ariadna, hija de Minos y Pasifae, y gracias al hilo que ésta le había dado para facilitarle la salida, logró escapar del laberinto. La poeta usa lúdicamente el tema mitológico con sentido del humor y tono irónico para describir escenas cotidianas en un supermercado de hoy.

una gorda que iba a meterte a ti,
al cautivo más apuesto que habían visto nunca mis ojos,
entre las rejas infames de su cuadriga;
la lucha,
como cuentan los cronicones,
fue breve y fue a muerte
y en ella perdí francamente la educación,
pero al final gané el torneo, rosal.

No me lo explico:
de todo esto ya han pasado dos,
casi tres años,
y mira la de perlas de fuego
que siguen brotando en el lóbulo
de tus hojas esmeralda
al amparo de su frescor.

No sé si alguien te ha dicho
que eres el jardín de las delicias de la tierra.

(Calendario, 1998)

Álvaro García
(Málaga, 1965)

Traductor de W. H. Auden, Philip Larkin, Margaret Atwood, R. Kipling y Kenneth White, columnista en varios periódicos y, recientemente, profesor de Historia del Periodismo, es un destacado poeta, cuya obra ha sido recogida ya en numerosas antologías.

Aunque reacio a formular su poética, confiesa su deseo de profundidad en el poema («apetito de metafísica»), de universalidad sin fronteras y de intenso contacto con la vida. No en vano se le ha considerado «poeta de la experiencia», y L. A. de Villena *(10 menos 30)* lo incluye entre los jóvenes poetas que van marcando una «ruptura interior» dentro de este movimiento. Creo, más bien, que Álvaro García, en sus últimos libros, está forjándose un estilo poético personal e inconfundible.

Los poemarios decisivos de Álvaro García rehúyen al principio lo patético de las grandes crisis del alma, para ofrecer «un reflejo de atmósferas y sensaciones», como dice Vicente Gallego *(«La noche junto al álbum* de Álvaro García», *Ínsula,* 517, 1990, pág. 20), aunque también suelen desembocar en hondas reflexiones («Tren de vuelta»). El poeta sabe seleccionar cuadros, situaciones e instantes que revelan una emoción sutil o experiencia singular.

L. A. de Villena señala el posible proceso de su evolución poética: «Yo diría que el mejor logro de *Intemperie* es haberse alejado por entero del tono usado, gastado, de la llamada *poesía de la experiencia,* tan rica en resultados, para llegar a un poema personal, vivido, nada críptico, nada abstruso, buscador de la profundidad sin poner cara de hechicero ni de aburrido» *(El Mundo,* 7-I-1996). Álvaro García —según Gloria Rey Faraldos— se mueve «en los límites entre la fijación realista de la experiencia cotidiana, íntima y personal, reducida siempre a la esencialidad, y la reflexión abstracta con que se aproxima al misterio que late en las fronteras de la realidad» («El misterio de la experiencia», *Diario 16,* 15-VI-1996).

Este proceso de profundización llega a su plenitud en *Para lo que no existe* (1999), donde abandona lo cotidiano para reflexionar sobre la naturaleza del ser humano, su incapacidad para hallar el sentido de la existencia o para conjurar la amenaza de la muerte, así cuando concluye que somos «una ilusión de eternidad» («La estación»), o discurre sobre el efecto decepcionante del éxito: «Cuando uno logra un fin se queda triste. / La meta se lo traga» («Ícaro»). El propio poeta gusta hablar del «vuelco metafísico de esta nueva entrega poética».

OBRA POÉTICA:

Pelea de negros en un túnel, Málaga, Los Cuadernillos del Grumete, 1984.
Para quemar el trapecio, Málaga, Puerta del Mar, 1985.
La noche junto al álbum, Madrid, Hiperión, 1989.
Intemperie, Valencia, Pre-Textos, 1995.
Para lo que no existe, Valencia, Pre-Textos, 1999.

ROSA ESTUVO EN EL SUR

En un octavo piso Rosa ensaya
la sonata huidiza del hastío
mientras la tarde vence el desafío
de la urbana y monótona batalla.
Madrid es un azul que se desmaya
sobre hileras de bruma y desvarío
de cláxones. Abajo pasa un río
de coches mientras Rosa toca y calla.
Rosa estuvo en el Sur y allí, rendidas
a las ramas del sueño, en lluvia inerte,
duran aún las notas fantasmales
que una noche escuchó la mar prendida,
a la puerta de un bar de mala muerte,
de la luz de sus manos musicales.

TREN DE VUELTA

Después de un año vuelven a su sitio
mis libros y yo vuelvo con la idea
de no marcharme más. Toda la tarde
la paso en la terraza, hasta esa hora
en que nos ve el vecino aunque nosotros
no lo vemos a él. Pero la noche

no ha llegado y probablemente tarde
un buen rato en hacerse con nosotros

y nuestras ganas de poner en hora
el reloj del afecto. Si esta noche
saliese, ¿habría amigos en el sitio
de siempre y aburriéndose? Ni idea.

Es absurdo el momento de la noche
cuando te has decidido un poco tarde.
Casi te olvidarías de la idea
de llamar, aunque uno de nosotros
no se va a molestar por media hora
y su familia viva en otro sitio.

Si pensé que ya iba siendo hora
de no asociar la vida a un solo sitio
y me marché a otro en una noche
ferroviaria y vulgar y con la idea
de huir antes que fuese ya muy tarde
(le ha pasado a cualquiera de nosotros),

he visto que el instinto nos idea
otro futuro y no hallamos la hora
de renunciar: o el éxito o nosotros;
y queremos volver al viejo sitio,
aunque sea intuyendo que esa noche
aplazamos la gloria hasta más tarde.

Empieza así una edad para nosotros
en ese tren de vuelta y esa noche
fatal: la de instalarnos en un sitio
para movernos muy de tarde en tarde,
la de hacernos finalmente a la idea
de esperar a que llegue nuestra hora.

Tarde o temprano, aceptaré la idea
y, a la hora propicia de una noche,
la muerte se hará sitio entre nosotros.

(La noche junto al álbum, 1989)

SITUACIÓN

Hablar de nada es, hoy, hablar de mucho.
No va a llover por más que tú analices.
Manténte, pues, a un lado y piensa en Beckett:
no hay nada que decir ni que escribir,
pero es imprescindible expresar eso.

Nadie respira porque le apetezca.
Si las palabras deben respirar,
que emigre este poema hacia sí mismo
y sea el verde sol del árbol solo.
La poesía tal vez sea un oxígeno,

un subir a por aire necesario
para bajar después a lo de siempre.
Te acuerdas de Mondrian y sus silencios,
tan plenos, tan callados, tan hablantes.
Lo mismo que él, solista del color,

tendrías que decir hoy lo que digas.
Que te perdone el día con su urgencia;
que te disculpe el hierro del instante.
Deja la actualidad, que se hace sola,
y ve al presente, que te necesita.

LA RAZÓN

Vivir ante el cristal de un lento mundo
nos pone complicados: esta tarde
con avenidas rápidas y a las seis es de noche
descubro la vergüenza
de no saber llegar al centro de otras vidas
si no es mediante pobres abstracciones.

La de que no haya vidas sino vida,
por ejemplo, y por tanto
la mía sea la de todos.

Se encienden las ventanas.

SABIOS MUDOS

La verdad se ha instalado en sus miradas
  y ya no hay quien la saque.
No me refiero a la verdad que llega
  a base de intentarlo.
La suya es la verdad hereditaria:
  clérigos de sí mismos,
su historia se encapricha de destino
  y en ellos la certeza
ha hecho un terco nido indemostrable.

Cabezas infestadas de verdad
  como otras de piojos.
Afirmo todo esto con envidia:
  son sabios que no escriben,
por contracción del estirado cuello,
  por tortícolis mística.
Lo que en ellos es ágrafa heredad
  busca uno con trabajo.
Los sabios mudos son indiscutibles.

(Intemperie, 1995)

REGRESO

Tocar un cuarzo ahumado, vítreo y negro,
como quien busca en su naturaleza indiferente
la reconciliación entre hombre y mundo.
Aprendemos a ser lo que ya somos,

y este trozo de piedra es un regreso.
La piedra, en su secreto, es armonía,
memoria silenciosa del planeta,
regalo de una luz que se ha hecho sólida.
Cuánta vida en lo inerte de este cuarzo
que es cristalización de los milenios.

El tacto es humildad.
Los dedos no conocen: reconocen;
comprueban un origen, se aseguran
de ser tan realidad como la roca.
Cuando los dedos rozan los sillares
en una catedral de umbría y siglos,
rozas casi al descuido los orígenes,
comulgas más que otros que comulgan.

Aquel niño buscaba con su cara
el frío intemporal del mármol frío.
Pegada su mejilla a la columna,
parecía escuchar en la pared
no el rumor que hay tras ella, sino a ella.

Sobre la mesa, el cuarzo, luz oscura,
su noticia que llega con retraso.
¿Cuántos siglos tendrá, tan silencioso,
tan delante de mí, tan en sí mismo?
Aprendo a ser lo que de hecho soy,
fugaz parte del mundo,
viendo el cuarzo.
Esta piedra secreta, antigua y súbita,
este trozo de mundo en la mañana.

MUERTE HABITADA

Tan raro este derecho
a habitar en la muerte del amigo,

si lo definitivo de la muerte
es lo que queda cuando ya se ha ido.

Un orden superior es la alegría.
Cómo desplaza el llanto al pensamiento
y qué secreto nos confía la lágrima:
con sólo verla estás en el secreto.

Todo lo que alguien logra permanece.
Puede que nos parezca innecesaria
la luz extensa de este amanecer.
En la bondad no se producen bajas.

Ausente es el que llora, no el ausente.
Ausente somos todos
cuando sospecho que morir consiste
en repartir tu espíritu entre otros.

O hacemos el esfuerzo
mientras alguien nos deja en pleno azul.

ÍCARO

La meta es como un túnel, se nutre de tiniebla.

Lo propio de las alas es quemarse
cinco minutos antes de llegar hasta el sol.

Toda meta es un túnel que te absorbe,
es una oscuridad que se alimenta
de tu propia sustancia y de tu olvido
y ese modo de muerte que es el conseguir.

Cuando uno logra un fin se queda triste.
La meta se lo traga.

Mejor ser el mejor sin beso de champán, sin aureola.
Y el sueño se ha quemado en su inminencia,
como sabiendo que vencer es chusco.

Tus sueños se han quemado de pura lucidez.

LA ESTACIÓN

Al sol, despunta el sol y reverbera
en un casi verano casi cierto.
Morder un hilo de agua. ¿Es tiempo ya?
La piel es nuestro único barómetro.

Hablar del tiempo, como dice Wilde, es hablar de otra cosa.
Es ventana a la incertidumbre.
El día en que mirar sea consultar rutinas de merlín
como quien mira un índice de precios,
vivir habrá perdido su constante en el abismo leve.

Nos evaporamos, en el beso, a las regiones del olvido
y, al reír juntos, somos intemperie:
cuando calla la risa hay un granizo que hiela los pronósticos,
y hay que volver a repensar el mundo.

Somos agricultura de los cielos, una ancha mies del aire,
polen vago que vino de tan lejos.
Toda lucha entre iguales, todo amor de contrarios,
toda íntima disputa está prevista
en la tensión dulce de los alimentos terrestres,
en el grano de trigo que amarillea y revienta en el aparador.

El perezoso giro de los astros hipnotiza las vidas,
el peaje de las estaciones, el voltaje de lo repetido.
La hora y su exterior se nos confunden.

Y si no hubiese luz como esta luz,
si no hubiese preguntas en los ojos,

si no hubiese un instante de desvelo justo antes de dormir,
todo serían actas.

Somos del alimento del temor.
También una ilusión de eternidad
que se entrevera con estar perdidos.

Amanece una luz
con dimensión precisa de universo.
No hace falta que diga el calendario la última palabra.
Siempre falta infinito para lo que no existe,
que es donde vivimos.

(Para lo que no existe, 1999)

Ada Salas
(Cáceres, 1965)

Licenciada en Filología Hispánica y profesora en Madrid, recibió los premios de poesía «Juan Manuel Rozas» (1987) e «Hiperión» (1994). La de Ada Salas es una voz nueva que con los mínimos medios logra una gran intensidad. Se la puede situar en la órbita de la llamada poética del silencio, pero sorprende por la originalidad de sus recursos y la hondura de su reflexión. Tal vez tenga Ada Salas «una vocación imparable hacia la imposible poesía pura» (M. Agudo Ramírez, «El ansia y su palabra», *Quimera*, 166, febrero de 1998, pág. 80).

En *Variaciones en blanco* (1994), la voz lírica dialoga con el silencio, que aparece a veces como «blanco», «sombra» o «terrible desnudo». «Las palabras dicen entonces sólo una parte, la menos importante, que sirve únicamente para preparar la revelación del silencio.» «Si a "silencio" y "sombra" añadimos "soledad", tenemos ya reunidas las notas básicas del tema sobre el que Salas realiza sus variaciones musicales» (V. García de la Concha, «Variaciones en blanco», *ABC*, 26-VIII-1994, pág. 8).

La sed (1997) gira también en torno a conceptos esenciales (vida, muerte, amor, dolor, soledad) en estados de ánimo de tono existencial. Muchos poemas aluden al proceso de la escritura como medio para acceder al conocimiento propio y del mundo (la de Salas es una metapoesía), pero la experiencia vivida es la que contagia de emoción el verso, de modo que «el poema se convertirá en conciencia de desolación y orfandad. La experiencia de la pérdida —la muerte del padre, del amigo, la casa abandonada— y del paso del tiempo —reconocido en ella misma o en otras vidas, en otros libros, como muestra el emocionado homenaje a *El otoño de las rosas*, de Francisco Brines— se convierten en soportes concretos de la palabra» (J. L. Rozas, «*La sed*, de Ada Salas», *Ínsula*, 607, julio de 1997, pág. 25). Los poemas buscan una expresión depurada, la sintaxis es sencilla y el vocabulario selecto, mientras que los frecuentes silencios realzan el verso breve y preciso. Su poesía anterior cobra coherencia y plenitud con este libro, que es expresión lograda de su concepción poética.

Ada Salas ha creado un mundo lírico lleno de sugerencias, en el que el silencio es «inconsolable» («Fluye») o es punto de encuentro de dos amantes («Pon un beso en mi boca»). Otras veces habla del poder embriagador de la tarde («La tarde es una larga conspiración»), o del hombre deseado y ausente («A qué región me llegaré a buscarte»), o de la vida marcada con sus cicatrices y derrotas («Hay libros que se escriben»), siempre en poemas breves e intensos, que tratan de establecer un lazo entre la experiencia vivida, la emoción y el poema.

OBRA POÉTICA:

Arte y memoria del inocente, Cáceres, Universidad de Extremadura, 1987.
Variaciones en blanco, Madrid, Hiperión, 1994.
La sed, Madrid, Hiperión, 1997.

Fluye
sólo el silencio

inconsolable.

* * *

Como calla la noche.

Poderosa.

Quietísima.

Fulgen sólo estos ojos
que dirán lo que han visto.

* * *

Ya no será la paz.

Han besado
                mis ojos

tu terrible desnudo.

* * *

Cuerpo
        a tu hambre

sombra a tu silencio.

* * *

Vengo del aire manso.

He visto la hora blanca
en que todo se agita

y arden la sombra y sus hogueras

y la luz
y sus lagos.

                Torre soy.

                Nadie ciegue mis labios.

* * *

Pon un beso en mi boca.

Ámense
tu silencio y el mío.

(Variaciones en blanco, 1994)

* * *

Dame seca la sed para invocarte
olvido. El coro de las cosas entona
su reclamo. Se acercan en bandadas
los ruidos de los hombres. A través del balcón
resplandece la tarde.
                    Dame
no respirar.

Para siempre renuncio a la certeza.

* * *

Mirad esta llanura. Nada en ella recuerda
las gestas de los hombres. El sueño sólo
alienta y la fecunda. Como un tiempo
arrasado

insiste en su pobreza.

* * *

La tarde es una larga conspiración de sombras.
Alza voces remotas. Asalta la morada
de los ídolos. Incendia un corazón
como un paisaje. Arrasa anega
ciega

y la noche al acecho.

* * *

A qué región me llegaré a buscarte
ahora que reposas a mi lado
en forma de deseo
                              hombre
cuya belleza apenas
conocía. Cada día me ciñe
su cilicio de ausencia.
Me has herido de vida desde toda
tu muerte

y no hay sueño bastante a tu vacío.

* * *

Hay libros que se escriben sobre la carne misma.
Son esas cicatrices que nos hablan

                              y sangran
cuando el tiempo se rinde a su derrota
un puñado de signos que apenas
comprendemos

y eran el beso intacto de la vida.

                    * * *

Ha segado la noche las espigas del sueño. Aguda
transparencia. Duele
la soledad
como el sol a los ojos.
Asombra tanto pájaro venido de tan lejos
a recibir la calma.

                    * * *

Estos que veis aquí
fueron mis ojos. Para nada
los quise. Fulgía como labio
la memoria.
Con un deseo puro
todavía

aguardo fieramente naufragar en la sombra.

                    * * *

No limpian las palabras.
Alumbran una isla en el lugar
del miedo y extienden una rama
al paso de los pájaros. Acogen
cuanto nace del hambre de las cosas
y mueren en silencio.
Pero su amor no limpia.

Como no limpia el llanto el rastro
de estar vivos.

(La sed, 1997)

Luis Muñoz
(Granada, 1966)

Se ha ido abriendo camino con un tipo de poesía inconfundible en su tonalidad, atmósfera y lenguaje nítido y elegante. Si lo situamos dentro de la modalidad llamada *poesía de
la experiencia,* donde va acompañado por un amplio espectro
de poetas de calidad, hay que añadir que destaca por su esfuerzo renovador, sus imágenes originales y deslumbrantes
(«playas tendidas como alas de nieve») o la percepción sensorial insólita («el pálido azul», «la pasión del horizonte»), según
vemos en el poema «Septiembre».

Propende al tono coloquial y meditativo, pero con el detalle sugerente y el matiz sutil, y gusta de la narratividad a grandes trazos, mientras logra captar una atmósfera poco común
(«El boleto», «Postales en un sobre», «Esto no es una experiencia»). Se acerca a un vocabulario común y a un lenguaje
coloquial que él elabora según admirados maestros del simbolismo como Jules Laforgue, «que —según el poeta— consiguió llevar el lenguaje de la calle a unos extremos de expre-
sividad, profundidad, acidez y delicadeza desconocidos hasta
entonces en ninguna lengua». Y es que la tradición simbolista que interesa a Luis Muñoz «está pasada por el tamiz de nuestra tradición poética y de nuestra historia, y por el tamiz de la
evolución del lenguaje poético, por la operación de flexibilidad
coloquialista que ya había emprendido en la poesía española
Campoamor, despojándola de bisutería y de tics pseudopoéti-
cos, y que había continuado felizmente y con rigor Luis Cernuda» (Luis Muñoz, «Un nuevo simbolismo», pág. 20).

La personalidad lírica de Luis Muñoz ha ido ganando en hondura y original despliegue de la imaginación dentro de un lenguaje sensorial y selecto, preciso y vago a la vez, que, en su último libro, alude a experiencias memorables, se entrega a la interpretación artística de una obra pictórica («David Hockney») o reflexiona sobre un gran poeta y su estética en «Paul Verlaine (Sapientia)». Como ha escrito G. Carnero, Luis Muñoz «sigue el mejor derrotero de la poesía existencial, el de la reflexión ética, que es la materia de su último libro, *El apetito*. Explora en él el conocimiento del yo y del otro en el amor y en el recuerdo, la trascendencia de los gestos, los paisajes, las situaciones de iluminación, fracaso y abandono» *(«El apetito* de Luis Muñoz», pág. 12). Un poeta de gran originalidad y promesa, por su juventud y su sensibilidad singular.

OBRA POÉTICA:

Uno, Vélez-Málaga, Ayuntamiento, 1984.
Calle del mar, Vélez-Málaga, Ayuntamiento, 1987.
Septiembre, Madrid, Hiperión, 1991.
Los regresos, Málaga, Ayuntamiento, 1993.
Manzanas amarillas, Madrid, Hiperión, 1995.
Poemas, Palma, Poesía de papel, 1996.
El apetito, Valencia, Pre-Textos, 1998.

SEPTIEMBRE

En el pálido azul que acogen las terrazas,
los labios desprovistos que saben regresar
y el vuelo de las últimas gaviotas.

Voces que el mar congrega,
que vienen con las olas y son la lejanía.
Playas tendidas como alas de nieve
al pie de los bañistas
y autobuses velados con tenues pasajeros
que persiguen la falta de costumbre.

También entonces,
rubias muchachas sumergidas
en el agua templada de las historias breves,
y la pasión del horizonte, el hilo de ciudades
que definen los barcos que se alejan.

No es más real, septiembre, que un recuerdo,
pero nombres que dimos por perdidos
recobran claridad, el aire que atraían,
y el sueño en que resisten los veranos.

FÁBULA DEL TIEMPO

Seguramente, si lo piensas,
estos años no van a repetirse.
Vivirás su carencia irremediable,

se llenará de sombras tu mirada,
te habitará el vacío y, con el tiempo,
se destruirá tu imagen del espejo.

Y esperarás cansado, te aseguran,
muchas tardes morir en tu ventana,
buscando en la memoria
ese tiempo feliz, siempre perdido,
esa estación dorada que tuviste
y que debe ser ésta, más o menos.

(Septiembre, 1991)

TÁNGER

Aguas doradas de una despedida.
Las colinas azules
en el doblez del viento, el tumulto
de gente y las callejas hondas,
lagos amargos de unos ojos dulces.

Nos espera vivir con tu recuerdo.
Hallar que es de este mundo el ciego amor,
la risa blanca en el candor desnudo,
la arena fugitiva de la felicidad.

Sabernos de este lado y apetecer el otro.
Haber buscado siempre en donde no estuvimos,
andar ya para siempre esa distancia
y anticipar el juego luciente que describe
la plenitud menuda del cuerpo en que perderse.

(Los regresos, 1993)

EN UN POEMA DE MARIO LUZI[37]

En un poema es fácil
que haga presa el deseo:
un caimán replegado,
un bosque fragante y bruñido,
una cascada
que siempre lo da todo
como el agua de un cuerpo
en su calor primero.

No era el amor pero ya dolía
la calle olvidada y la linterna
que remueve la noche con palabras.
En esa calle Luzi encuentra
lo que temió y amaba
en la constelación de sus azares:
un pasado mordaz y la cuchilla
que abre limpiamente
el corazón de los recuerdos.

Como él te miras tú, sobrecogido y roto,
en la orilla de espejos del poema.

---

[37] Se refiere al poeta italiano Mario Luzi, nacido en Florencia en 1914, que cultiva una poesía urbana, sentimental y, como adivinamos aquí, propensa a un cierto intelectualismo metafísico.

Como Luzi reaviva «limpiamente» en sus poemas momentos y experiencias memorables, también Muñoz se mira en el poema tratando de captar en él la plenitud de viejos recuerdos.

EL POEMA INTERRUMPIDO[38]

Aún al escribir Salvador Novo
fingía estar haciendo un algo diferente:
atisbar a quien pasa, enredar la mañana,
detener las naranjas redondas de algún beso.
Un modo de salvarse con la vida
de las garras cortantes de la literatura.

Equivocó el esfuerzo al engañarse,
su razón y su dicha.
Y un veneno endulzado impregnó su destino
como labios de grana, y la vida le supo
feroz y luminosa, parva y suculenta,
igual que al escribirla.

BIOGRAFÍA

Atesoró recuerdos temeroso
de su pobreza íntima:
el billete de un viaje en autobús
con su mejor amigo a una playa recóndita,
la caja de cerillas de un hotel
donde se amaron con temor y con furia,
una foto de carnet con la marca grabada
de unos labios intensos
o una pulserita de cuero
que le entregó una chica en una fiesta loca.

---

[38] El título de esta composición y su comienzo arrancan de «Poema inte-
rrumpido» del libro *Nuevo amor y otras poesías* (México, Fondo de Cultura Económica, 1961) de Salvador Novo, poeta mexicano de los más conocidos del siglo XX, que se abre con estos versos: «Aún ahora al escribir, estoy haciendo
una cosa diferente. / Me dije: Tengo que escribir un hondo poema / y he de
expresar en él todo el dolor que sufro / ante la evidencia de que envejezco. /
He de mojarlo en estas lágrimas / de los ojos que ven sin esperanza...» (pág. 91).

Los recuerdos se hicieron un vapor enseguida.
Tuvo luego otros
que le colmaron de imágenes
y le abrumaron con distancias,
y quiso desprenderse de sus lazos
de afecto, de sus trampas cálidas,
de sus mensajes sin orilla.

Claro es que fue en vano.
Y que al hacerle falta
les añadió veneno y miel, y tuvo para ellos
ocasión y aventura, capítulos muy largos,
un destino inefable.

EL BOLETO

Encontró su nombre y su teléfono
en una servilleta de papel
doblada en el bolsillo.
Le estremeció aquel nombre
como un calor de plata,
le devolvió una noche
resuelta sin descensos,
y la visión fugaz, resplandeciente
de su piel de canela.

Lo había conocido en un local
de luces acuosas y música de fuego.
Andaron a su casa charlando suavemente
entre las hojas secas, atravesando el río.

Quedaron en llamarse.
Y lo dudó un momento:
apostar esa noche o conservarla,
extender su memoria, o perderla de pronto.
No lo dudó ya al rato: quemó en el cenicero,

como quien teme a un sueño,
como quien toma y deja las llaves del olvido,
desdoblado y letal, su boleto de apuestas.

POSTALES EN UN SOBRE

Tomaron un pequeño apartamento
al calor de la historia que empezaba
en un pueblo radiante de la costa.
Las familias miraban de reojo
su dulce suficiencia,
su ambigua cercanía cuando tomaban sol,
los leves empujones en la orilla
de muchachos buscándose en el juego,
la risa incontrolable,
el júbilo de luces y de compras
los días de mercado,
y un remolino oscuro de murmullos
se levantaba al paso como una nube torda.

En sólo quince días avivaron
contrarios sentimientos, un ascua adormecida
y una imagen inquieta de la felicidad.

Recordarían de aquello más que nada,
muchos años después, en su país del norte,
la coartada airosa de su idioma
para hablar de deseo sin entenderles nadie,
las noches enlazadas de sus cuerpos
con las marcas blanquísimas de los trajes de baño
y un sobre con postales de vocación turística
que guardaron por siempre como un talismán:
el farero viejo cortando caña,
la junta de los bueyes en la plaza del pueblo
y una chica en biquini diciendo okey.

(Manzanas amarillas, 1995)

ESTO NO ES UNA EXPERIENCIA

A José Luis Piquero

Conducía un tres puertas azul de doce años
que heredó de su padre y que ya renqueaba.
Con él cruzaba el puente después de medianoche,
como una mecha ardiendo suspendida en el río.

Llegaba así a este lado de la ciudad encendida,
se acodaba en la esquina de un local atestado
y dejaba en sus ojos vagar su transparencia,
como vagan dormidas las sombras de un acuario.

El tirón de la carne era dulce y violento,
sólo a él respondía de manera feliz
y tornaba la vida animal y jugosa.
El resto era roer
las sobras de un banquete.

Se llamaba David, según me dijo,
sólo andaba detrás de lo que era posible,
y ayudaba a su madre en un taller de ropa.

DAVID HOCKNEY

Las palmeras dobladas por el viento,
un chico en pantalón ceñido
buscando compañía por la raya del mar
y una sola avenida de colores muy fuertes
donde brillan iguales un disco de «descarga»
y la esfera del sol.

De pronto sorbe el mundo su luz de limonada
como si sostuviese un hermoso destino.

No espera a que se cumplan
los tiempos del desánimo,
la colección pequeña que reúne,
como de caracolas, el pago a la alegría.

Y descubre que el hombre une fuerza y dulzura,
que un modelo desvela un reverso evidente,
que un jarrón se concentra como clave de un cuarto,
que algunas carreteras se parecen al modo
sorpresivo y taimado en que llega el placer
o que un perro dormido nos prepara sus sueños.

Quien pinta no ilumina, ni construye,
ni se asoma,
sino que vive dentro.

Desde dentro la historia silabea el presente,
el recuerdo es la banda de un rumor simultáneo,
la medida es hechizo, el fuego es transparencia
y la vida es la airosa jugada de un orden.

Desde dentro quien llama es igual a un latido,
a una proposición, a una flor de descaro.

PAUL VERLAINE
(«Sapientia»)

Eran ésos.
Los versos del color de la ceniza,
del cielo encapotado,
de la sombra dormida electrizada
del borde de tus ojos.
Dime si ya digieren, señor de las condenas,
como una sopa boba,
las flagrantes caídas del amor,
me dijiste incontables.
No sé.

¿Pudieron castigar
tu pesada inocencia?

Si juntan lo indeciso a lo preciso
los versos del color de la ceniza,
dime por qué me empujan en amor
a una ciega diana, a un blanco que es tan fácil,
como si el daño fuera la buena puntería.

Vuelve así de otro modo:
No olvides elegir
palabras que se presten al equívoco.

Si de una melodía
los versos del color de la ceniza
hacen huir un potro, un sueño sorprendido,
el rizo que voltea en una mano,
el jugo con que escuecen heridas deseadas,
quizá ya no te engañes,
quizá ése es el líquido
que nos fluye por dentro.

Otra cosa, de pronto, que escucho
susurrada en tu mesa del café:
Y además, sobre todo,
no vayas a olvidarte de ti mismo,
arrastrando por siempre tu abulia y tu simpleza
a donde se batalle o se ame.

Eran ésos.

(El apetito, 1998)

Colección Letras Hispánicas

Jauría – pack(s) hounds.   Afán – industry
_____   exertion,
la corza – female deer   extreem desire for
         (roe)

        emotional, weaken
Extenuación – ~~enfeeblement fatigue~~
   (extenuar – to enfeeble etc.
Poseer = to own, possess (poseída = a
                          possession)
exigir = to exact, demand, require.
el engaño – deceit, fraud, trick, sham
frialdad – coldness, coolness, indifference
saciar – to satiate, surfeit